納蘭詞

第二冊

〔清〕納蘭性德 著
崇賢書院 釋譯

北京聯合出版公司

菊花新　用韻送張見陽令江華

愁絕行人天易暮，行向鷓鴣聲裏住，渺渺洞庭波，木葉下楚天何處？折殘楊柳應無數，趁離亭笛聲催度。有幾個征鴻相伴也，送君南去。

詞解　這首詞爲送別之作：你就要赴任到遙遠的江華，此刻送行爲之生愁添恨，而天色也仿佛變得晦暗迷蒙了。故人將去的江華，此時也正是秋色凄涼，令人惆悵。依依難捨，楊柳折斷了無數次，本應趁著長亭離宴上的笛聲作別，卻仍不忍分手離去。天空飛過幾隻征雁，就讓它們陪你遠行，與你做伴吧。

南歌子

翠袖凝寒薄，簾衣入夜空。病容扶起月明中，惹得一絲殘篆舊熏籠。

暗覺歡期過，遙知別恨同。疏花已是不禁風，那更夜深清露濕愁紅。

詞解　這首詞寫離愁別恨：夜幕降臨，簾幕裏空空寂寂，他不在身旁，

不免感到嚴寒凄冷。明月之下，支撐起這多病之軀，惹得將盡的殘香煙霧繚繞。心裏明白約定的歡會之日已過，想必你也跟我一樣離恨難銷。人已經病容滿面，弱不禁風了，哪裏還禁得起這夜來的愁苦相思呢！

又

暖護櫻桃蕊，寒翻蛺蝶翎。東風吹綠漸冥冥，不信一生憔悴伴啼鶯。

素影飄殘月，香絲拂綺櫺。百花迢遞玉釵聲，索向綠窗尋夢寄餘生。

詞解　春暖花開，櫻桃花蕊初綻，和暖的春風仿佛在圍護著它，而翩飛的蝴蝶猶帶著寒意。東風吹著柳絲，春意漸濃，愁亦漸生，不信平生都衹能在鶯啼中度過。一彎殘月昇起，幾許柳絲拂動。百花叢中不斷傳來玉釵聲，那聲聲傳情，恍如隔世，遁入夢中。

又　古戍

古戍飢烏集，荒城野雉飛。何年劫火賸殘灰，試看英雄碧血滿龍堆。

玉帳空分壘，金笳已罷吹。東風回首盡成非，不道興亡命

也豈人爲！

詞解　古老的營壘，成了烏鴉聚集之地，荒涼的城堡中野鷄恣意飛舞。這是什麼時候的戰火留下來的遺跡，曾經驍勇善戰的英雄們，他們的碧血丹心如今都被沙漠湮沒了。主帥的帳篷，曾經的胡笳，如今都已作古。千年悲歎，回首相望，古今多少是非，說來興亡都是天定，豈是人爲？

秋千索　渌水亭春望

按此調譜律不載，或亦自度曲。一本作撥香灰

藥闌攜手銷魂侶，爭不記看承人處。除向東風訴此情，奈竟日春無語。　悠揚撲盡風前絮，又百五韶光難住。滿地梨花似去年，卻多了廉纖雨。

詞解　這首詞是懷思戀人之作：記得當年曾拉著你的手，漫步在園亭中的芍藥欄畔。當時特意相迎相會的情景怎能不記得呢！如今，除了向東風訴說我的衷情之外便無知己，即使面對這滿園的春色，我也終日無語。飄飛的柳絮、滿地的梨花依然如昔，伊人卻蹤影難覓。寒食日又過去了，美好的時光總是如此短暫，看落花滿地與去年無異，衹是更多了幾許愁雨，怎不叫人愴然。

詞人逸事　納蘭性德把自己的別墅命名爲「渌水亭」，一是因爲有水，更是以慕水之德自比。並把自己的著作也題爲《渌水亭雜識》。詞人取流水清澈、淡泊、涵遠之意，以水爲友、以水爲伴，在此療養、休閑、作詩塡詞、研讀經史、著書立說，並邀客燕集，雅會詩書——一個地道的文化沙龍。渌水亭畔四處都是他的足跡，親人、朋友、知己、愛侶，無不在這裏爲他留下過美好的回憶。然而在物是人非之後，這些美好的回憶更讓人不堪回首。所以，對於納蘭性德來說，渌水亭既是他人生的樂土，又是其悲傷的根源，同樣也是他創作的源泉，在此地納蘭性德留下了許多感人至深的千古佳作。

又

遊絲斷續東風弱，渾無語半垂簾幕。茜袖誰招曲檻邊，弄一縷秋千索。　惜花人共殘春薄，春欲盡纖腰如削。新月纔堪照獨愁，卻又照梨花落。

詞解　這首詞爲撫今憶昔、觸景傷情之作：春風中的遊絲斷斷續續飄來蕩去，屋檐下，簾幕半垂，悄無聲息。曲折的欄杆邊那穿著紅色裙衫的女子，正戲玩著秋千。春日將殘，惜春不及，留春不住，傷春不已。一彎新月照著獨自傷懷的人，又將光影移到散落滿地的梨花之上，怎不叫人愈加憔悴。

又

壚邊喚酒雙鬟亞，春已到賣花簾下。一道香塵碎綠蘋，看白袷親調馬。　煙絲宛宛愁縈掛，剩幾筆晚晴圖畫。半枕芙蕖壓浪眠，教費盡鶯兒話。

詞解　這首詞描繪春景：春回人間，放眼望去，看到雙鬟低垂的少女在酒壚邊買酒。賣花人的簾下已經鮮花盛開，春意盎然。那身穿白衣的人，正在親自馴馬，飛馳而過的塵土攪碎了一池的浮萍。香煙裊裊，牽掛悠悠，不若將這傍晚晴朗的美景畫下。半枕著繡著荷花的枕頭入眠，即使黃鸝再叫也不要去管它。

又

錦帷初卷蟬雲繞，卻待要起來還早。不成薄睡倚香篝，一縷縷殘煙裊。　綠陰滿地紅闌悄，更添與催歸啼鳥。可憐春去又經時，只莫被人知了。

詞解　這首詞爲傷春之作：初睡醒來，頭髮鬆散，蟬鬢形的髮式像烏雲一樣盤繞著。要起牀卻看天色尚早，連微睡也不成，衹好倚著熏籠看裊裊殘煙昇起。綠肥紅瘦，春事消歇，子規鳥又開始啼叫了，原來春光已經離去了許久，衹是閨中終日愁苦的人沒有發覺而已。

浪淘沙　秋思

霜訊下銀塘，併作新涼。奈他青女忒輕狂。端正一枝荷葉蓋，護了鴛鴦。　燕子要還鄉，惜別雕梁。更無人處倚斜陽。還是薄情還是恨，仔細思量。

詞解　這首詞寫傷離之恨：深秋時節已到，霜華漸落，新涼乍起，冷風大作。荷葉下一對鴛鴦正在躲避寒風。燕子辭別畫梁，飛往南方。獨立夕陽下，看到此景此情，心中究竟是怨還是恨，令人迷惘，還要仔細思量。

又　望海

蜃闕半模糊，踏浪驚呼。任將蠡測笑江湖。沐日光華還浴月，我欲乘桴。　釣得六鰲無？竿拂珊瑚。桑田清淺問麻姑。水氣浮天天接水，那是蓬壺？

詞解　這首詞用神話傳說、歷史故事來寫望海的感受：站立在海邊，遠望那茫茫大海，那迷迷蒙蒙夢幻一般的境界，令人不由得驚呼。想起了古人所說的道理，任那淺薄無知者去嘲笑吧。大海沐浴了太陽四射的光芒，又好像給月亮洗了澡，我要乘著木筏到海上去看個分明。乘桴於海上垂釣，可曾釣得大鰲嗎？其實那釣竿也祇是輕拂珊瑚罷了。滄海桑田的巨變，祇有麻姑知曉，要想知道這巨變，祇有去問她了。看那水天一色，蒼茫難辨，哪裏纔是傳說中的蓬萊仙島呢？

又

雙燕又飛還，好景闌珊。東風那惜小眉彎。芳草綠波吹不盡，只隔遙山。　花雨憶前番，粉淚偷彈。倚樓誰與話春閑？數到今朝三月二，夢見猶難。

詞解　這首詞寫閨怨離愁：春將盡，春景將殘，雙燕飛還，東風不顧那閨中女子的傷春意緒，直將芳草吹綠，讓繁花零落，她又深情地懷念著遠方的離人。想起當初落花繽紛時的情景，不禁潸然淚下。誰來排解她春日的寂寞無聊呢？明日即當歡會，卻無法如約相見。

又

紅影濕幽窗，瘦盡春光。雨餘花外卻斜陽。誰見薄衫低髻子？還惹思量。　莫道不淒涼，早近持觴。暗思何事斷人腸。曾是向他春夢裏，瞥遇回廊。

詞解　這首詞描寫相思縈懷的幽獨傷感：透過小窗望去，春雨打濕了紅花，春光將盡。雨停了，卻已是夕陽西下之時。誰看到她穿著單薄的衣衫，低垂著頭，抱膝思量的孤獨身影？把酒獨酌，無限淒涼。曾像做夢一樣地在回廊裏與她相遇，怎不讓我傷心斷腸？

又

眉譜待全刪，別畫秋山，朝雲漸入有無間。莫笑生涯渾是夢，好夢原難。 紅咮啄花殘，獨自憑闌。月斜風起袷衣單。消受春風都一例，若個偏寒？

詞解 那供描眉時參看的眉譜全可以不要了，她又另外畫出了如秋山般美麗的眉形，好像是籠罩著朝雲的遠山，脈脈含情。不要笑談生涯如夢，好夢原本就很難得。鳥啄落花，春天將殘，月夜獨自憑欄，清風吹起，倍感單寒。在春風中相思懷遠的人都是一樣的，身寒、心寒，哪一個會更冷一些呢？

又

紫玉撥寒灰，心字全非。疏簾猶是隔年垂。半卷夕陽紅雨入，燕子來時。 回首碧雲西，多少心期，短長亭外短長堤。百尺遊絲千里夢，無限凄迷。

詞解 這首詞寫少婦於閨中寂寞無聊的傷春情節：用紫玉釵撥弄篆香的殘灰，那「心」字的香形便消失了，竹簾仍像去年那樣低垂。夕陽中燕子飛過時捲起落花，飄入香閨。回首遠望青雲處，盼離人歸來，心中無限期許，卻衹看到遠處長亭短堤杳無人跡。於是心思如遊絲百尺，春夢萬里，無限凄迷。

又

夜雨做成秋，恰上心頭，教他珍重護風流。端的爲誰添病也，更爲誰羞？ 密意未曾休，密願難酬。珠簾四捲月當樓。暗憶歡期真似夢，夢也須留。

詞解 上闋先寫環境氛圍，烘托無奈之心境，秋雨襲來，愁上心頭，離別之時，互道珍重。究竟是爲誰相思成疾，又是爲誰害羞？下闋寫她對離人的深懷眷念，相思之情未曾斷絕，衹是想見的心願難以實現。明月昇起，將樓閣四面的珠簾捲起。不由追憶往事，回味歡聚的快樂，如夢如眞，叫人悵惘。

又

野店近荒城，砧杵無聲。月低霜重莫閑行。過盡征鴻書未寄，夢又難憑。　身世等浮萍，病爲愁成。寒宵一片枕前冰。料得綺窗孤睡覺，一倍關情。

詞解　這首詞抒發的是相思相念之情：上闋描述野店孤寂，一片荒城，聽不到思婦的搗衣之聲。月夜相思，霜華凝重。雖然鴻雁過盡，然而書信未至，縱有好夢，仍是愁懷難遣。下闋寫身世之感和孤獨情懷，身世如同浮萍飄浮不定，愁苦成病。寒夜無眠，枕邊一片冰冷凄清。料想此時閨中思婦也是孤枕獨眠，更加傷情，加倍動情。

又

悶自剔殘燈，暗雨空庭。瀟瀟已是不堪聽。那更西風偏著意，做盡秋聲。　城柝已三更，欲睡還醒，薄寒中夜掩銀屏。曾染戒香消俗念，怎又多情。

詞解　獨坐燈前，秋夜空庭，風雨瀟瀟，已是令人愁悶，偏那西風又於此時送來了秋聲，好像是專意要將愁人的煩惱加重。柝聲傳來，已是三更，身感寒涼襲人，遂將屏風緊掩。本來告誡自己要遠離塵世煩惱，如今偏生又開始陷入情裏不可自拔。

又

清鏡上朝雲，宿篆猶薰。一春雙袂盡啼痕，那更夜來孤枕側，又夢歸人。　花底病中身，懶畫湘文。藕絲裳帶奈銷魂，繡榻定知添幾綫，寂掩重門。

詞解　這首詞是藉女子傷春傷離寫作者的離恨：上闋由景而起，清晨，朝雲映到了明鏡裏，夜來焚燒的篆香還未燃盡。「一春」三句翻轉折進，寫夢裏夢外無限傷懷，如此涉筆便更透徹，更動人。下闋寫相思成病，百般聊賴。想尋求排遣無奈心情的方法，於是拿出以前的繡榻繡上一些新花樣來消磨時光。

雨中花　送徐藝初歸昆山

天外孤帆雲外樹，看又是春隨人去。水驛燈昏，關城月落，不算

淒涼處。 計程應惜天涯暮，打疊起傷心無數。中坐波濤，眼前冷暖，多少人難語。

詞解 這是一首送別詞：上闋由景寫起，離別的時刻，看天外孤帆遠影，雲外天低樹稀，頓覺春天也將伴隨著你的離開而遠去。從此征途漫漫，無限淒涼。下闋寫情，計算行程，收拾心情。雖無意觸犯朝綱，但看盡人間冷暖後，也不由得感歎：多少人有苦難訴啊！

詞人逸事 康熙十一年（一六七二），徐乾學任順天鄉試考官，取納蘭性德為舉人，因此徐乾學是他的「恩師」。這年徐乾學與蔡啓傳這兩位納蘭性德的座師，也因科舉選人不當，皆以「副傍未取漢軍卷」的罪名被削職，降級調用。蔡啓傳回歸了故里浙江德清，徐乾學則回了老家江蘇崑山。納蘭性德對兩位座師之不幸深表同情，故本篇大約作於送座師的同時。他所贈雖為藝初，但藝初實為徐乾學之子，可見藉題發揮之旨，詞中既表達了對座師的同情和安慰，也流露出對自己前程的牢騷和不平。

又

樓上疏煙樓下路，正招余綠楊深處。奈卷地西風，驚回殘夢，幾點打窗雨。 夜深雁掠東檐去。赤憎是斷魂砧杵。算酹酒忘憂，夢闌酒醒，愁思知何許？

詞解 這首詞寫秋夜愁思：樓上香煙寥落，樓下大路上你正在綠楊深處召喚著我。怎奈一陣秋風吹來，幾滴秋雨打在窗上，猛然醒來，纔發現原來是一場夢。夜深了，有孤雁從屋檐上掠過。最令人生厭的是那使人斷魂的搗衣之聲，更令人增愁添恨。本來要以酒消愁，誰知道酒醒之後卻有如此多的愁思涌上心頭呢？

鷓鴣天 離恨

背立盈盈故作羞，手挼梅蕊打肩頭。欲將離恨尋郎說，待得郎來恨卻休。 雲淡淡，水悠悠，一聲橫笛鎖空樓。何時共泛春溪月，斷岸垂楊一葉舟。

詞解 這首詞是藉閨中女子寫離恨：記得往日幽會時，她嬌嗔佯羞，手裏捻著梅花，故意拍打我的肩頭。如今想要將滿腔離恨說給情郎聽，等到情郎回來後，那恨自然又消失了。白雲淡淡，春水悠悠，唯有笛聲縈繞在空寂的樓閣中。什麼時候纔能和他一起共賞春溪的明月，一同在垂柳蔭下共泛扁舟呢？

又

誰道陰山行路難？風毛雨血萬人歡。松梢露點霑鷹紲，蘆葉溪深沒馬鞍。　依樹歇，映林看。黄羊高宴簇金盤。蕭蕭一夕霜風緊，卻擁貂裘怨早寒。

詞解　這首詞爲塞上之作：誰說陰山道路艱難，讓人犯愁，看那些狩獵的場面是多麼令人歡欣鼓舞。松梢上的點點露水滴濕了衣裳，翱翔在高空裏的鷹隼變得細小；潺潺的溪水和密密的蘆葦湮沒了馬鞍。依靠著樹休息，看著夕陽映林之景，夜幕初降，壯士們舉杯歡宴慶祝狩獵成功。入夜，寒風四起，抱著貂裘埋怨爲何塞外的天氣這麼早就開始寒冷了。

又

小構園林寂不譁，疏籬曲徑倣山家。晝長吟罷《風流子》，忽聽楸枰響碧紗。　添竹石，伴煙霞。擬憑樽酒慰年華。休嗟髀裏今生肉，努力春來自種花。

詞解　這首詞描繪的是隱士的生活和情趣：園林靜寂，曲徑疏籬，來到這世外的山野之家。與主人吟詩對弈，生活好不安閑愜意。再加以竹石和煙霞相伴，把酒當歌可謂人間極樂了。所以不要在那裏歎老嗟卑，自尋苦惱，等春天來的時候親手種花植草，這樣的日子豈不安閑快活，羨煞旁人！

又

獨背殘陽上小樓，誰家玉笛韻偏幽。一行白雁遙天暮，幾點黃花滿地秋。　驚節序，歎沉浮，穠華如夢水東流。人間所事堪惆悵，莫向橫塘問舊遊。

詞解　秋日殘陽裏，獨自登樓，聞見之間，不無傷感之景：耳中傳來幽咽的笛聲，眼底一行白雁飛入天際，菊花綻放，遍地深秋。於是觸景生情，慨歎世事無常，人生如夢。人間有無限的惆悵之事，既已如此惆悵，那就更不要向橫塘路上詢問舊遊在何處了。

又

雁貼寒雲次第飛，向南猶自怨歸遲。誰能瘦馬關山道，又到西風撲鬢時。　人杳杳，思依依，更無芳樹有烏啼。憑將掃黛窗前月，持向今宵照別離。

詞解　這首詞抒寫相思，含思雋永，語近情遙：上闋寫秋意漸濃，北雁南飛，猶怨歸遲，人卻難歸。人已難歸，偏又逢西風撲鬢，瘦馬關山。下闋寫愁思，離人杳杳，相思依依，又聞樹間烏鴉鳴啼。原來那曾在窗前畫眉時見到的明月，如今又照在別離之人身上了。

又

別緒如絲睡不成，哪堪孤枕夢邊城。因聽紫塞三更雨，卻憶紅樓半夜燈。　書鄭重，恨分明，天將愁味釀多情。起來呵手封題處，

偏到鴛鴦兩字冰。

詞解 這首詞爲塞上懷遠之作：上闋寫出使在邊城卻魂牽夢繞閨中的妻子，別緒如絲，讓人難以成眠。於是傾聽塞外半夜雨聲，卻不自覺回憶起家中燈前的妻子。下闋說爲解相思便寫信抒發離愁別怨，然而邊地嚴寒，即使呵氣暖手，但到封題之處「鴛鴦」兩字成「冰」。

又

冷露無聲夜欲闌，棲鴉不定朔風寒。生憎畫鼓樓頭急，不放征人夢裏還。　秋淡淡，月彎彎，無人起向月中看。明朝匹馬相思處，知隔千山與萬山。

詞解 這首詞寫征人懷思：夜色將盡，冷露無聲，朔風獵獵，寒鴉飛起。可惡的鼓聲偏又在樓頭急響，聲聲惱人，不讓征人在夢裏還鄉。秋波蕩漾，月兒彎彎，卻沒有人起來觀賞。料想明朝更會越行越遠，歸程阻隔，萬水千山。

又　送梁汾南還，時方爲題小影

握手西風淚不乾，年來多在別離間。遙知獨聽燈前雨，轉憶同看雪後山。　憑寄語，勸加餐，桂花時節約重還。分明小像沉香縷，一片傷心欲畫難。

詞解 這是一首送別詞，康熙二十年（一六八一），顧貞觀因母喪，南歸無錫，納蘭性德寫詞相送：秋風之中我們握手作別，淚水止不住滑落，由於我長年在外，我們聚少離多，很少見面，如今相聚，你卻要離開。知道你在遠方也會在窗前聽雨，回憶我們雪後一同看山的日子。勸你珍重，與你相約桂花開的時候一定要回來。你的小像在縷縷沉香的輕煙裏歷歷可見，但那傷情是無從畫出的。

詞人逸事 梁佩蘭在納蘭性德的祭文中說：「黃金如土，惟義是赴。見才必憐，見賢必慕。生平至性，固結於君親，舉以待人，無事不眞。」梁佩蘭的話不無溢美之詞，然而用於納蘭性德卻決不誇張。對友情的珍視在他的詩詞中隨處可見，生平摯友如嚴繩孫、顧貞觀、朱彝尊、姜宸英輩，當時都不過是漢人布衣，而納蘭性德已早登科第，又是皇族貴冑，然而卻虛己納交，待人至誠至真，推心置腹。當時朝野滿漢種族之見甚深，而他的朋友卻都是江南人，而且皆坎坷失意之士，納蘭性德傾盡自己的全力幫助他們，對於顧貞觀更是如此。

當顧貞觀離開京城，回鄉奔喪時，納蘭性德自是難捨難分。除本篇外，還有詩《送梁汾》、詞《木蘭花慢・立秋夜雨，送梁汾南行》等，皆極盡深情地表達了誠摯的友情和傷別之意。

又　詠史

馬上吟成促渡江，分明間氣屬閨房。生憎久閉金鋪暗，花冷回心玉一牀。添哽咽，足淒涼。誰教生得滿身香。祇今西海年年月，猶爲蕭家照斷腸。

詞解　這首詞是詠才色過人、薄命的遼代皇后蕭觀音：上闋說皇后騎在馬上吟得詩句，並以詩催促皇帝揮戈渡江，因爲這種無關緊要的小事惹皇帝，造成帝后失和。皇后蕭觀音也因此被幽囚冷宮，宮門緊閉，淒清孤苦，唯有一牀明月相守。下闋寫冷宮生活的寂寞冷清，暗自啜泣，感懷生平淒涼，都是因爲自己才色過人所致。如今西海的明月從未改變，我仍在爲才華卓著卻蒙塵而死的蕭皇后而悲傷扼腕。

詞人逸事　遼代皇后多姓蕭，且多有被黜者，其中遼懿德皇后蕭觀音，穎慧秀逸，才色絕倫，嬌艷動人，她善詩詞、書法、音律，彈得一手好琵琶，稱爲當時第一。曾作詩《伏虎林應制》，其句云：「威風萬里壓南邦，東雲能翻鴨綠江。」諷諫皇帝之好獵。然而遼道宗正樂此不疲，根本聽不進皇后的勸諫。皇后雖位在至尊，但其實祇是皇帝的附屬品，她們的命運大都操縱於皇帝之手。蕭皇后也不例外，從此她便被道宗疏遠，嘗盡深宮孤寂。

蕭觀音作《回心院詞》共十首，希望打動丈夫的心，重拾往日的歡樂。蕭觀音叫宮廷樂師趙惟一譜上音樂，以玉笛、琵琶演奏。蕭觀音與趙惟一絲竹相合，每每使聽的人怦然心動，於是後宮盛傳兩人情投意合。

遼道宗長期打獵，當時的皇族耶律乙辛因爲平亂有功漸漸大權獨攬，野心日益增大。於是趁流言四起之時構陷蕭皇后，暗中派人作《十香詞》進獻蕭皇后，說是宋國皇后所作，蕭皇后若能把它抄下來並爲它譜曲，便可稱爲二絕，也好爲後世留一段佳話。《十香詞》遣詞用語都十分曖昧，但這正合孤寂中蕭皇后的心態，於是她便親手用綵絹抄寫一遍。此外，她還在末端又寫了一首題爲《懷古》的詩：「宮中衹數趙家妝，敗雨殘雲誤漢王。惟有知情一片月，曾窺飛燕入昭陽。」

耶律乙辛以《十香詞》爲物證到遼道宗那裏詆毀皇后，更就《懷古》詩進行曲解：「詩中『宮中衹數趙家妝』，『惟有知情一片月』，正包含了『趙惟一』三字，此正是皇后思念趙惟一的表現。」至此遼道宗大怒，認定蕭觀音與趙惟一私通，敕令蕭觀音自盡，趙惟一凌遲處死。納蘭性德爲此而塡詞詠「才色過人多薄命」之旨。

又 十月初四夜風雨，其明日是亡婦生辰

塵滿疏簾素帶飄，真成暗度可憐宵。幾回偷拭青衫淚，忽傍犀奩見翠翹。

惟有恨，轉無聊。五更依舊落花朝。衰楊葉盡絲難盡，冷雨淒風打畫橋。

詞解 十月初五是納蘭性德亡妻盧氏的生日，此詞爲懷念亡妻的悼亡之作：上闋先寫室內。她逝去後，塵滿簾幕，素帶飄動，我眞的成了要獨自度過孤苦夜晚的人。看到她用過的妝奩翠翹，不覺暗自傷懷，幾度清淚偷彈。下闋視綫移到室外。花落五更，衰楊葉盡，景色依然，你我卻生死殊途，物是人非。此時淒風冷雨抽打著畫橋，怎能不令人愁思滿懷，百無聊賴。

河 傳

春淺，紅怨，掩雙環，微雨花間晝閑。無言暗將紅淚彈。闌珊，香銷輕夢還。

斜倚畫屏思往事，皆不是，空作相思字。記當時，垂柳絲，花枝，滿庭蝴蝶兒。

詞解 這首詞通過連續的畫面來抒發傷春傷懷之情：上闋說春淺花落，掩門鎖戶，細雨輕愁，令人倍覺淒涼傷感、哀怨無憑。夢醒之後，夢中的情景消逝了，眼前一片淒涼，那人早已不在身邊。下闋說斜倚著屏風思

念著往事。記得當時楊柳垂絲，蝶舞百花，一派春意盎然，然而這一切卻令人傷感，一切都是淒清的，此時此刻祇剩相思二字占據了全部情懷。

木蘭花　擬古決絕詞柬友

人生若只如初見，何事秋風悲畫扇？等閑變卻故人心，卻道故人心易變。　驪山語罷清宵半，淚雨零鈴終不怨。何如薄倖錦衣郎，比翼連枝當日願。

詞解　這首詞爲擬古之作，藉漢唐典故抒發閨怨，詞情哀怨淒惋，屈曲纏綿：人生如果總像剛剛相識的時候那樣甜蜜，那樣溫馨，那樣深情和快樂，又怎麼會像班婕妤那樣落得秋風悲扇的境遇，應當相親相愛，卻成了今日的相離相棄？你如今輕易地變了心，反而說情人的心本來就是容易變的。想要像唐明皇與楊貴妃那樣的海誓山盟，即使最後命喪黃泉也終不怨悔。如今的你又怎麼比得上當年的唐明皇呢？他畢竟還與楊玉環有過比翼鳥、連理枝的誓願！

虞美人　秋夕信步

愁痕滿地無人省，露濕瑯玕影。閑階小立倍荒涼。還剩舊時月色在瀟湘。　薄情轉是多情累，曲曲柔腸碎。紅箋向壁字模糊，憶共燈前呵手爲伊書。

詞解　這首詞描寫對妻子的思念：秋夜閑庭信步，露濕蒼竹，愁痕遍地卻無人瞭解。在空蕩的臺階前小立，祇剩下這舊時的明月灑滿庭院，倍感荒涼。無情的人都是因爲當初太過多情，早已肝腸寸斷了。信箋仍在，那信中模糊的字跡，讓人又回憶起當初曾在涼夜的燈下呵手書寫的情景來。

又

綠陰簾外梧桐影，玉虎牽金井。怕聽啼鴂出簾遲，恰到年年今日兩相思。　淒涼滿地紅心草，此恨誰知道？待將幽憶寄新詞，分付芭蕉風定月斜時。

詞解　這首詞爲懷念戀人之作：窗外灑下梧桐綠色的樹蔭，倒映在金井的轆轤之上。又到了年年相思的日子，因爲害怕聽到杜鵑的哀啼而遲遲不敢走出門來。那滿懷相思的紅心草已是淒涼滿地，心頭的遺恨又有誰能夠明瞭？於是衹好將這滿懷的思緒寫作一曲新詞，在芭蕉風定，月影西斜時寄去我的相思。

又

春情只到梨花薄，片片催零落。夕陽何事近黃昏，不道人間猶有未招魂。　銀箋別夢當時句，密綰同心苣。爲伊判作夢中人，長向畫圖清夜喚真真。

詞解　這首詞以春到花落寫相思之情：上闋寫景，春天的景致又到了梨花零落的時候，夕陽西下，黃昏降臨，卻不知道人間尚有人相思惆悵，不能自已。下闋抒追憶之情，曾經濃情蜜意，海誓山盟。爲了她甘願做夢中之人，於是整日對著她的畫像呼喚，希望能以至誠打動她，讓她像「眞眞」那樣從畫中走出來與我相會。

又

曲闌深處重相見，勻淚偎人顫。淒涼別後兩應同，最是不勝清怨月明中。　半生已分孤眠過，山枕檀痕涴。憶來何事最銷魂，第一折枝花樣畫羅裙。

詞解　這首詞追憶戀人：上闋前兩句化用李後主「畫堂南畔見，一晌偎人顫」之句，寫相見時的情景。後兩句寫離別之後兩人同樣在月夜相思，同樣的淒清幽怨難以忍受。下闋寫夜裏孤寂幽獨之感，寂寞孤枕，暗自垂淚，又回憶起你那堪稱第一的繪有花卉圖樣的羅裙，眞是讓人黯然銷魂。

又

高峯獨石當頭起，凍合雙溪水。馬嘶人語各西東，行到斷崖無路小橋通。　朔鴻過盡音書杳，客裏年華悄。又將絲淚濕斜陽，回首十三陵樹亂雲黃。

詞解　這首詞寫行役中的感受：上闋寫景，天寒地凍，高峯獨石，邊塞一片肅殺之氣。征人馬上相逢，來不及多說就又要各奔東西。旅途艱辛，行到斷崖處，衹有小橋爲路。下闋寫思歸苦情，鴻雁飛過卻不能代爲傳書，旅人他鄉爲客，音信杳然。淚水如絲染透夕陽，回首眺望，衹看見十三陵附近亭亭如蓋的大樹和被夕陽染黃的暮雲。

又

黃昏又聽城頭角，病起心情惡。藥爐初沸短檠青，無那殘香半縷惱多情。　多情自古原多病，清鏡憐清影。一聲彈指淚如絲，央及東風休遣玉人知。

詞解　這首詞爲懷友之作，似乎是寫給好友顧貞觀的：黃昏時分，城頭號角響起，拖著病體，心情低落。爐上的藥在沸騰，案頭的短燈明滅不定，殘香繚繞笑我多情。多情之人自古以來都是多愁多病之身，攬鏡自照，看到那清瘦的身影自憐自歎。衹吟唱一聲你所做的《彈指詞》便傷心得淚下如絲，於是央求東風捎去我對你的思念。

又

彩雲易向秋空散，燕子憐長歎。幾番離合總無因，贏得一回僝僽一回親。　歸鴻舊約霜前至，可寄香箋字？不如前事不思量，且枕紅蕤欹側看斜陽。

詞解　這首詞寫閨婦相思的痛苦矛盾心情：秋天的綵雲總是易散，燕子飛去，引人長歎。離合聚散總無因由，衹贏得了滿懷愁緒。約定霜期之前即歸來，既使如此，也應該寄封書信來慰相思啊！還是不要想以前的那些事了，不如枕著繡枕側身看夕陽西下。

又

銀牀淅瀝青梧老，屧粉秋蛩掃。采香行處蹙連錢，拾得翠翹何恨不能言。　回廊一寸相思地，落月成孤倚。背燈和月就花陰，已是十年蹤跡十年心。

詞解　這首詞追憶曾經的戀人：秋風秋雨摧殘了井邊的梧桐。秋蟲聲聲，芳草小徑幽幽，伊人的芳蹤已失，再也喚不回來。走到與伊人曾經走過之處，那裏已是苔痕碧碧草萋萋。在草叢間偶然拾得她戴過的翠翹玉簪，胸中無限傷感無法傾訴。在曾經相約的回廊故地重遊，獨立於花陰月影之下，心潮起伏。而今，天上明月依舊，地上人事已非，轉眼已過了十年光景。

又　爲梁汾賦

憑君料理花間課，莫負當初我。眼看雞犬上天梯，黄九自招秦七共泥犁。　瘦狂那似癡肥好，判任癡肥笑。笑他多病與長貧，不及諸公衮衮向風塵。

詞解　這首詞寫給好友顧貞觀，是二人同懷同道的寫照：任你輯集花間詞曲，淺吟低唱，衹要不辜負我的一片真心便可。看那些仕途得意之人平步青雲，雞犬昇天，就讓你我這樣的失意之人像前朝的文人一樣，在別人眼中的「地獄」中相伴。仕途失意之人哪有得意之士那麽躊躇滿志，任那些得意的人去嘲笑好了，嘲笑失意之人貧病交加，仕途坎坷，不如他們那般志得意滿、飛黄騰達。

詞人逸事　納蘭性德雖爲權臣之子、皇帝近臣，然而卻是空有滿腹才華，衹能擔當護衛武夫之職，因此與懷才不遇、仕途蹉跎的顧貞觀等人大有同病相憐、惺惺相惜之意。顧貞觀更可以説是納蘭性德的第一知己，二人不唯交契篤厚，而且志趣相投，有著相同的詞學主張。納蘭性德在《與梁藥亭書》中説：「僕少知操觚即愛《花間》致語，以其言情入微，且音調鏗鏘，自然協律。」他與顧貞觀詩詞唱和頗多，並請貞觀爲他的詞作選集付梓。

又

殘燈風滅爐煙冷，相伴唯孤影。判教狼藉醉清樽，爲問世間醒眼是何人。　難逢易散花間酒，飲罷空搔首。閑愁總付醉來眠，只恐醒時依舊到樽前。

詞解　這首詞宣泄了詞人內心的孤清：殘燈被風吹滅，爐子裏的煙火也冷清下來，與我相伴的衹有自己孤獨的身影。我情願喝得杯盤狼藉，酩酊大醉，不想清醒地面對這個世界。良辰美酒總是難逢易散，喝醉之後猶自搔頭沉思。心中無限閑愁衹有在醉後纔能消歇，恐怕醒來後依舊要藉酒消愁了。

鵲橋仙

倦收緗帙，悄垂羅幕，盼煞一燈紅小。便容生受博山香，銷折得狂名多少。　是伊緣薄，是儂情淺，難道多磨更好？不成寒漏也相催，索性盡荒雞唱了。

詞解　這首詞是對往日甜蜜生活的追憶和悵惘：上闋憶舊。簾幕低垂，慵懶地收起書卷，看那燈前等待的人兒已經望穿秋水了。享受著這裊裊香煙之氣，博得狂士之名。下闋賦今。和你的緣分太薄，如今緣盡人去，難道好事必將多磨？偏那寒漏之聲又來催我入眠，可是愁苦難耐，難以成眠，索性等待鷄鳴天亮好了。

又

夢來雙倚，醒時獨擁，窗外一眉新月。尋思常自悔分明，無奈卻照人清切。　一宵燈下，連朝鏡裏，瘦盡十年花骨。前期總約上元時，怕難認飄零人物。

詞解　這首詞述說哀婉的懷思和身世的隱怨：夢裏你我相偎相依，醒來時卻是寂寞孤單，衹有窗外的一彎新月做伴。當初在月色分明時與你共度的情景，細想來常自悔恨未能珍惜。怎奈如今又逢照人清切的明月，卻已人事全非，容顏消瘦衰老。從前我們總是在上元時節相約，而今如果再相見，怕是我這飄零之人你已經難以辨認了。

又　七夕

乞巧樓空，影娥池冷，說著淒涼無算。丁寧休曝舊羅衣，憶素手爲余縫綻。　蓮粉飄紅，菱花掩碧，瘦了當初一半。今生鈿盒表予心，祝天上人間相見。

詞解　這首詞表達愛妻亡故之後人去樓空的傷感：又是七夕佳節，現在卻人去樓空，物是人非，怎不叫人暗生淒涼之感呢！反復叮嚀不要讓人晾曬那件舊羅衣，因爲那是你親手爲我縫製的，見到它更會引起我深重的愁懷。俯看荷塘上蓮花飄零，菱蔓遮掩了碧波，抬頭看天空，群星燦爛。拿出你我定情的鈿合表達我對你的痴情，但願我們天上人間終能相見。

南鄉子

飛絮晚悠颺，斜日波紋映畫梁。刺繡女兒樓上立，柔腸，愛看晴絲百尺長。　風定卻聞香，吹落殘紅在繡牀。休墮玉釵驚比翼，雙雙，共唼蘋花綠滿塘。

詞解　這首詞描繪少女懷春的形象：上闋描摹時景。傍晚時候，柳絮飄飛，落日斜映在池塘上，波影映照著畫梁。刺繡女兒佇立在繡樓之上，春懷寂寂，情意綿綿地看著空中飄蕩的遊絲。下闋進一步描繪孤寂之情。風停了，卻聞到飄落在繡牀上落花的餘香。池塘中的水鳥、魚兒正成雙成對地吮吸著滿塘綠色的浮蘋，千萬別讓頭上的玉釵掉下驚擾了它們。

又　秋莫村居

紅葉滿寒溪，一路空山萬木齊。試上小樓極目望，高低，一片煙籠十里陂。　吠犬雜鳴雞，燈火熒熒歸路迷。乍逐橫山時近遠，東西，家在寒林獨掩扉。

詞解　這首詞描繪村野田園的風光意趣：深秋，寒冷的溪流中落滿了紅葉，空山之中，道路兩旁，樹木遍佈。登樓遠眺，看到高高低低的山巒，十里山坡被一片煙波籠罩。犬吠聲夾雜著雞鳴聲一起傳來，迷蒙的燈光照著歸去的山路。眼前的山峯時遠時近，山路回轉蜿蜒，朝向時東時西，深山寒林處虛掩著的家門就在眼前。

又　搗衣

鴛瓦已新霜，欲寄寒衣轉自傷。見說征夫容易瘦，端相，夢裏回時仔細量。　支枕怯空房，且拭清砧就月光。已是深秋兼獨夜，淒涼，月到西南更斷腸。

詞解　這首詞藉搗衣來抒發征夫怨婦的情懷：天氣涼了，鴛鴦瓦已落滿秋霜，想要爲遠方的人寄去寒衣，此時又開始暗自傷懷。都說出門在外的人容易消瘦，不知道是否是真的，下次在夢裏相見的時候一定要好好端詳端詳你。空房獨處，將枕頭豎起倚靠，不免心生膽怯，於是權且在月光下擦拭搗衣之石來消磨時光。夜已經深了，又要與寂寞孤獨相伴，連月亮都要落下了，怎能不叫人傷心斷腸！

詞評　「九月寒砧催木葉，十年征戍憶遼陽」（沈佺期《古意呈補闕喬知之》詩）。「長安一片月，萬戶搗衣聲。秋風吹不盡，總是玉關情。」（李白《子夜吳歌》）秋風一起，戍邊軍士們的妻子就要忙著爲遠方的親人準備寒衣了。水邊砧上，清杵聲聲，那月下搗衣的動人情景，也飽含著思婦們的深情，牽動了騷人們的詩思。容若這一首《南鄉子》也是以此爲題材創作的，且意境淒清，心理描寫非常細膩，在衆多的同題作品中，有其獨到之處。

——盛冬鈴《納蘭性德詞選》

又　柳溝曉發

燈影伴鳴梭，織女依然怨隔河。曙色遠連山色起，青螺，回首微茫憶翠蛾。

淒切客中過，料抵秋閨一半多。一世疏狂應爲著，横波，作個鴛鴦消得麼？

詞解　上闋描繪了柳溝清晨曉發時的情景：燈影下梭子來回穿梭，彷佛織女在怪罪著銀河的阻隔。天快要亮了，微茫中的遠山，宛若閨中之人的翠蛾。下闋言情抒慨：此生多在客中度過，與閨中人大半在別離之中。一世疏狂，卻衹羡鴛鴦，但願能與閨中之人常相廝守，度過一生。

又

煙暖雨初收，落盡繁花小院幽。摘得一雙紅豆子，低頭，說著分攜淚暗流。

人去似春休，卮酒曾將酹石尤。別自有人桃葉渡，扁舟，一種煙波各自愁。

詞解　這首詞寫離愁別恨：上闋追憶往昔。風雨初晴，小院中落花滿地，更顯幽靜。采下兩顆紅豆，低頭和你說著分別，不覺淚流。下闋寫別後幽情。以酒餞行，人各東西，好像連春天也被你帶走了。與你分別之後，定然還有人在這裏乘小船作別。同樣的分別，卻各人有其各自的離愁。

又

何處淬吳鉤？一片城荒枕碧流。曾是當年龍戰地，颼颼。塞草霜風滿地秋。

霸業等閑休。躍馬横戈總白頭。莫把韶華輕換了，

封侯。多少英雄只廢丘。

詞解　這首詞抒發了世事無常、興亡無據的感慨：何處是當年使吳鈎染血的爭戰之地呢？如今衹看到一片荒城，碧水東流。當年群雄並起廝殺的戰場，如今卻冷風颼颼，被滿地的衰草與寒霜湮沒了。那千古的霸業如今都已成空，縱橫沙場的豪邁氣魄也敵不過歲月的磨洗，總會有白頭的那天。不要把美好的青春年華都浪費在換取顯赫功名之上，你沒看到那昔日的英雄如今都變成了一座座荒蕪的土丘嗎？

又　爲亡婦題照

淚咽更無聲，止向從前悔薄情。憑仗丹青重省識，盈盈，一片傷心畫不成。　別語忒分明。午夜鶼鶼夢早醒。卿自早醒儂自夢，更更，泣盡風前夜雨鈴。

詞解　這首詞是寫在亡婦畫像之上的：眼淚無聲，爲自己以前的薄情而後悔。如今，衹剩你的畫像讓我拿來回憶了。你那盈盈之態，比眼前的畫像更清晰，於是一片傷心，難以描畫。分別時的言語太清晰分明了，天還沒亮，與你雙棲雙飛的美夢就醒來了。你早已離開，而我卻猶沉浸夢中，整夜在窗下聆聽傷心的夜雨霖鈴之聲。

一斛珠　元夜月蝕

星毬映徹，一痕微褪梅梢雪。紫姑待話經年別，竊藥心灰，慵把菱花揭。　踏歌纔起清鉦歇，扇紈仍似秋期潔。天公畢竟風流絕，教看蛾眉，特放些時缺。

詞解　這首詞詠節序風物：天空星光璀璨，梅梢之雪不明，月已初蝕，紫姑欲與人訴說經年的別離之情，嫦娥卻自愧竊藥奔月，心灰意懶，以致不願揭開鏡面。月蝕漸出，地上鑼聲纔歇，人們便開始踏歌慶祝，那月光還像中秋時節一樣清澈明亮。老天也是風流之人，爲了讓人們看到新月如眉的景色，故意將月缺的時間延長了。

紅窗月

按詞律作紅窗影，一名《紅窗迥》

燕歸花謝，早因循又過清明。是一般心事，兩樣愁情。猶記回廊影裏誓生生。　金釵鈿盒當時贈，歷歷春星。道休孤密約，鑒取深盟。語罷一絲清露濕銀屏。

詞解 這首詞寫與戀人的離情：燕子歸來，百花凋謝，又過了清明時節。風景與往年相同，然而心境卻大不相同。還記得往年我們在桃花樹下情定三生的情景。上闋寫此時情景，點出本題，即風景如舊而人卻分飛，不無傷離之哀歎。在絲絹上寫就鮮紅的篆文，好像那天上清晰的明星一般。當時說道不要辜負你我的密約，這絹絲上的深盟即可爲憑。說罷一滴淚珠滴在銀屏之上，那情景至今猶歷歷在目。

踏莎行

春水鴨頭，春山鸚嘴，煙絲無力風斜倚。百花時節好逢迎，可憐人掩屏山睡。　密語移燈，閑情枕臂，從教醞釀孤眠味。春鴻不解諱相思，映窗書破人人字。

詞解 春天到了，春水泛出了鴨頭綠，身上的春衫鮮紅得猶如鸚哥的紅嘴。看那裊裊的煙絲被春風吹得歪歪斜斜，是那麼的嬌弱無力。百花盛開，正是情人幽會的好時節，她卻掩起屏風孤眠不起。將燈燭移近，追憶往日良宵共度的情景，想著那些秘密的話語，頭枕著手臂，任憑閑愁的苦味發散開來。大雁不知避諱此時的相思，偏偏從窗外飛過，卻不成「人」字的陣行。

又

倚柳題箋，當花側帽，賞心應比驅馳好。錯教雙鬢受東風，看吹綠影成絲早。　金殿寒鴉，玉階春草，就中冷暖和誰道？小樓明月鎮長閑，人生何事緇塵老。

詞解 這首詞爲寄贈之作，表達了詞人對侍衛扈從生涯的厭倦：賞花題柳，風流自賞，閑散度日的生活總比從駕驅馳、日夜奔波勞碌要好。後悔選擇了這樣的生活，讓自己早生華髮。在宮廷裏生活、做事，其中的甘苦自識，冷暖自知，又能對誰訴說？不如悠閑地獨上小樓賞月，何必要沾染這世俗的塵埃呢！

鵲橋仙

月華如水，波紋似練，幾簇澹煙衰柳。塞鴻一夜盡南飛，誰與問倚樓人瘦？　韻拈風絮，錄成金石，不是舞裙歌袖。從前負盡掃眉才，又擔閣鏡囊重繡。

詞解　這首詞是懷念妻子之作：秋夜，月光如水般清澈，水波如同白練一般，月色下煙柳搖曳。大雁一夜之間都飛走了，誰來問問，靠在樓窗的人爲何變得清瘦？你的才情唯有謝道韞、李清照可比，你我意氣相投，你又絕非那愛慕浮華之人。衹怪我辜負了你的才情和往日那美好的時光，如今衹能徒增感慨。

臨江仙　寄嚴蓀友

別後閑情何所寄，初鶯早雁相思。如今憔悴異當時，飄零心事，殘月落花知。　生小不知江上路，分明卻到梁溪。匆匆剛欲話分攜，香消夢冷，窗白一聲雞。

詞解　這首詞爲寄贈之作，表達對摯友深切的懷念：春去秋來，我日

日夜夜都在思念著你，然而這種孤獨寂寞，除了殘花落絮，沒有人能夠知曉。我自己生來不知江南之路，夢裏卻到了你的家鄉梁溪。衹是好夢難留，正欲說說別後相思時，卻一夢醒來，窗外傳來雞鳴之聲，夢中溫馨的情誼消逝了，令人不勝悵惘。

詞人逸事　嚴繩孫，字蓀友，號藕漁，又號藕塘漁人，江南無錫人。工隸、楷書，六歲即能作徑尺大字，曝書亭匾爲其所書。二十多歲時，拋棄舉子業，遊歷於山水之間，與朱彝尊、姜宸英被譽爲「江南三布衣」。清順治六年（一六四九），參加由江南名士太倉吳偉業主盟的慎交社，結識了一批東南名流。順治十一年（一六五四），與邑中顧貞觀、秦松齡等十人結雲門社，時稱「雲門十子」。康熙十四年（一六七五）結識滿族詞人、大學士明珠之子納蘭性德，成爲莫逆。

康熙十八年（一六七九）三月，朝廷調舉博學鴻儒，嚴繩孫以江南名布衣身份被薦與「鴻博」試，他卻因受薦而避試，臨場藉目疾僅成《省耕詩》一首即退場，期望脫身。當時康熙帝籠絡士子之心正切，遂引唐代

祖詠以詠雪詩二十字入選的掌故，破格以「久知其名」擢置二等末，授其翰林院檢討，參與《明史》編纂，後歷任日講起居注官、山西鄉試正考官、右中允兼翰林院編修、承德郎等職。康熙二十四年（一八六五）辭官回家鄉隱居，杜門不出，以書畫著述終老。

又

昨夜個人曾有約，嚴城玉漏三更。一鉤新月幾疏星。夜闌猶未寢，人靜鼠窺燈。　原是瞿唐風間阻，錯教人恨無情。小闌干外寂無聲。幾回腸斷處，風動護花鈴。

詞解　這首詞寫與情人相約卻未能踐約的喜怨交替之情：昨天夜裏曾經約好黃昏後相見，現在已經是三更時分，卻遲遲未能成行。空中有一彎新月幾顆疏星，夜深人靜卻遲遲不能入睡。不能赴約是因爲受到了阻隔，別有難言之隱，卻叫相約的人錯怪自己無情。欄杆外寂靜無聲，衹有風吹護花鈴的幽怨之聲。

又

點滴芭蕉心欲碎，聲聲催憶當初。欲眠還展舊時書。鴛鴦小字，猶記手生疏。　倦眼乍低緗帙亂，重看一半模糊。幽窗冷雨一燈孤。料應情盡，還道有情無？

詞解　這首詞爲相思之作：夜雨芭蕉，聲聲傳情，聽來讓人心碎。想要睡去卻忍不住又打開舊時的書信，看著那寫滿相思情意的書箋，便記起她當時書寫還不是很熟練的情景。茫然間書卷散亂，拾起重看，衹到一半便淚眼模糊。伴著冷雨孤燈，原以爲情已經盡了，卻還在想著這情思到底還有沒有？

又　永平道中

獨客單衾誰念我，曉來涼雨颼颼。緘書欲寄又還休，個儂憔悴，禁得更添愁。　曾記年年三月病，而今病向深秋。盧龍風景白人頭，藥爐煙裏，支枕聽河流。

詞解　這是一首抒寫鄉關客愁的邊塞詞：孤眠獨卧，夜來衾薄，清曉

愁雨，不勝清寒，有誰會念及我呢？想要給你寫信遙寄相思，又害怕你看了更添新愁，愈加憔悴，於是祇好作罷。記得原來都是三月春愁多病，沒想到今年卻病在深秋了。在這深秋時節，盧龍風景蕭疏，令人傷感，暗生白髮。祇得在藥爐的煙霧繚繞下，側耳傾聽江河的奔流之聲來排遣愁苦之情了。

又　謝餉櫻桃

綠葉成陰春盡也，守宮偏護星星。留將顏色慰多情，分明千點淚，貯作玉壺冰。　獨臥文園方病渴，強拈紅豆酬卿。感卿珍重報流鶯，惜花須自愛，休祇爲花疼。

詞解　這首詞爲答謝的應酬之作，然情眞意深，措辭委婉：春天就要過去了，綠葉成蔭，濃密的枝葉偏偏遮掩了粒粒櫻桃。留下鮮紅的櫻桃慰問我這多情的人，這櫻桃分明是送來千里外友情的淚水，而這淚水又化爲濃香的醇酒。我正失意病臥，蒙你盛情饋送了櫻桃，於是我強拈著它以示對你的酬答。在這黃鶯啼遍的時候，感謝你還如此珍重友情。不過你也要珍重，憐惜花落時也要自愛，不要總是爲花落而生悲。

又

絲雨如塵雲著水，嫣香碎入吳宮。百花冷暖避東風，酷憐嬌易散，燕子學偎紅。　人說病宜隨月減，懨懨卻與春同。可能留蝶抱花叢，不成雙夢影，翻笑杏梁空？

詞解　這首詞抒寫暮春愁病交加的情態，深含興亡之歎：細雨濛濛，雲中夾帶著水氣，吳宮裏殘花散落滿地。最讓人憐惜的是那嬌美易落的宮花，故而連燕子也學著人的樣子緊緊依偎在花下。人們都說病體會隨著時間慢慢康復，我卻像這暮春一樣萎靡頹喪。蝴蝶飛舞，流連花叢，而燕子成雙成對地飛走了，反而笑那屋宇梁上空空。

又

長記碧紗窗外語，秋風吹送歸鴉。片帆從此寄天涯，一燈新睡覺，思夢月初斜。　便是欲歸歸未得，不如燕子還家。春雲春水帶輕霞，畫船人似月，細雨落楊花。

詞解　這首詞寫在春天回憶秋天的離別：記得當時我們在碧紗窗外低語話別，當時秋風吹起，天色將晚，暮鴉飛回。從此以後我便一葉孤舟在天涯飄泊，半夜從夢中醒來，月亮纔剛剛西斜。即使想回來也不能回來，連秋去春歸的燕子都不如。春日裏山水如畫，若能一起欣賞煙柳畫船、細雨楊花的美景，該是何等的愜意！

又　塞上得家報，云秋海棠開矣，賦此

六曲闌干三夜雨，倩誰護取嬌慵？可憐寂寞粉墻東，已分裙衩綠，猶裹淚綃紅。　曾記鬢邊斜落下，半牀涼月惺忪。舊歡如在夢魂中，自然腸欲斷，何必更秋風。

詞解　這首詞是詞人身在塞上卻心係故園之作：上闋化虛爲實。海棠花開了，家中那欄杆外愁雨不斷，誰來呵護海棠那嬌慵的身影？那美麗的花朵在粉牆東邊嬌艷而寂寞地綻放，綠葉托出了粉紅色的花蕾，好像是在薄紗一樣的花瓣上宿雨猶存。下闋轉入追懷往昔，那令人懷念的往日美好時光如同在夢中，此時衹剩肝腸欲斷的淒苦之情，又何況秋風颳來呢？

陳廷焯白雨齋詞話容若飲水詞才力不足合者得五代人淒婉之意

又　盧龍大樹

雨打風吹都似此，將軍一去誰憐？畫圖曾見綠陰圓。舊時遺鏃地，今日種瓜田。　繫馬南枝猶在否？蕭蕭欲下長川。九秋黃葉五更煙。止應搖落盡，不必問當年。

詞解　這首詞藉詠盧龍大樹而抒憑弔之情、懷鄉之意：雨打風吹都是如此這般，大樹猶存而建立軍功之人卻一去不返，有誰來憑呢？綠蔭覆蓋的美景曾入畫中，而昔日的戰場如今卻變成了種瓜之田。江河奔流，那曾經繫馬的樹枝還在那裏嗎？是否都化爲深秋的落葉，五更的晨煙？當年的英雄舊事又何需再提！

又　寒柳

飛絮飛花何處是？層冰積雪摧殘。疏疏一樹五更寒。愛他明月好，憔悴也相關。　最是繁絲搖落後，轉教人憶春山。湔裙夢斷續應難。西風多少恨，吹不散眉彎。

詞解　這首詞藉詠柳而抒傷悼之情：在這冰天雪地的嚴冬，那迎風飄逝的柳絮去了哪裏？稀疏蕭條的樹枝在五更天裏忍受著曉寒，願與月相伴，即使如今憔悴也會相互關心。偏偏是在這樹葉落盡之後，讓人回憶起春天的美麗景致。如今斯人已逝，即使夢裏相見，也可慰相思，但好夢易斷，斷夢難續。那淒楚的秋風中飽含幽怨，它們卻無法吹散你的倩影。

詞評　容若《飲水詞》，在國初亦推作手，較《東白堂詞》（佟世南撰）似更閑雅。然意境不深厚，措詞亦淺顯。余所賞者，惟《臨江仙·寒柳》第一闋，及《天仙子·淥水亭秋夜》《酒泉子》（謝卻荼蘼）一篇，三篇耳，餘俱平衍。又《菩薩蠻》云：「楊柳乍如絲。故園春盡時。」亦淒婉，亦閑麗，頗似飛卿語，惜通篇不稱。

——陳廷焯《白雨齋詞話》

《詞則大雅集》：纏綿沉著，似此眞可伯仲小山，頡頏永叔。

——張草紉《納蘭詞箋注》

又

帶得些兒前夜雪，凍雲一樹垂垂。東風回首不勝悲。葉乾絲未

盡，未死祇顰眉。　可憶紅泥亭子外，纖腰舞困因誰？如今寂寞待人歸。明年依舊綠，知否繫斑騅？

詞解　這首詞爲詠寒柳之作，與前首一樣意含悼亡之旨：垂柳帶著前夜下的雪，望去猶如片片浮雲。回首春天不勝傷悲，如今葉子已經落盡，而柳絲尚存還沒有凍死，祇是像病了一般皺著眉頭，如同愁病交加的我。記得當初你我在紅亭送別時，那垂柳在爲誰而搖曳多姿？如今祇剩我自己寂寞地等待你歸來。明年那垂柳依然會變綠，卻不知道是否還會有人在那裏繫上駿馬，長亭送別。

又　孤雁

霜冷離鴻驚失伴，有人同病相憐。擬憑尺素寄愁邊。愁多書屢易，雙淚落燈前。　莫對月明思往事，也知消減年年。無端嘹唳一聲傳。西風吹隻影，剛是早秋天。

詞解　這首詞藉詠孤雁來吟詠自己的孤獨：秋霜遍地，離群的大雁失去了自己的同伴，它可知道地上有個人與它同病相憐。想要將滿懷愁緒

用書信寄出去，卻發現愁緒太多且變換不定，於是祇能對著燭光暗自垂淚。不要對著明月遙想當年的往事，那會讓人衣帶漸寬，形影憔悴。忽然雲中傳來一聲孤雁哀鳴，抬頭望去，那孤單的身影在初秋的寒風之中縹緲遠去。

蝶戀花

辛苦最憐天上月，一昔如環，昔昔都成玦。若似月輪終皎潔，不辭冰雪爲卿熱。　無奈鍾情容易絕，燕子依然，軟踏簾鉤說。唱罷秋墳愁未歇，春叢認取雙棲蝶。

詞解　這首詞爲悼念亡妻之作：　最憐愛那天空辛苦的月亮，一月之中，祇有一夜是如玉環般的圓滿，其他的夜晚則都如玉玦般殘缺。如果月光始終皎潔，那麼我便不怕月中的寒冷，夜夜爲你送去溫暖。無奈塵世的情緣最易斷絕，祇有燕子依然輕輕地踏在簾鉤上，呢喃叙語。縱使哀悼過了亡靈，但是滿懷的愁情仍不能消解。花叢中的蝴蝶可以成雙成對，人卻生死分離，不能團聚。

詞評 容若《蝶戀花》：「辛苦最憐天上月，一昔如環，昔昔都成玦。若似月輪終皎潔，不辭冰雪爲卿熱。無那塵緣容易絕。燕子依然，軟踏簾鉤說。唱罷秋墳愁未歇，春叢認取雙棲蝶。」此亦悼亡詞。「昔」即「夕」字，見《左傳》。

——吳世昌《詞林新話》

又

眼底風光留不住，和暖和香，又上彤鞍去。欲倩煙絲遮別路，垂楊那是相思樹。 惆悵玉顏成間阻，何事東風，不作繁華主。斷帶依然留乞句，斑騅一繫無尋處。

詞解 這首詞依然爲懷念亡妻之作：眼底雖然有無限的春光，但春暖花開仍然難以留住征人，他又騎馬離去了。請那如絲煙柳不要遮住去路，難道這垂柳也是相思之樹嗎？如今你那美麗的容顏，我再也見不到了，怎不叫人痛苦惆悵，爲何那東風留不住繁華舊夢呢？割斷的衣帶上還留有當年我求你寫的詩句，你卻早別我遠去，不知歸處了。

又

又到綠楊曾折處，不語垂鞭，踏遍清秋路。衰草連天無意緒，雁聲遠向蕭關去。 不恨天涯行役苦，只恨西風，吹夢成今古。明日客程還幾許，霑衣況是新寒雨。

詞解 這同樣是一首悼亡之作：又來到過去與伊人折柳贈別的地方，引起了心中無限的惆悵。騎在馬背上，沉思著往事，默默無言，任馬踏著清秋的道路緩緩前行。衰草連天心緒煩亂，天邊傳來的雁鳴之聲顯示雁群已飛過了邊關。我不恨這浪跡天涯、羈旅行役之苦，衹恨這無情的西風，將夢一般的往事吹得無影無蹤。思量明天的征程還有多遠，不覺寒雨已經霑濕了衣襟。

又 散花樓送客

城上清笳城下杵。秋盡離人，此際心偏苦。刀尺又催天又暮，一聲吹冷蒹葭浦。 把酒留君君不住。莫被寒雲，遮斷君行處。行宿黃茅山店路，夕陽村社迎神鼓。

詞解　這首詞爲贈別之作：秋日將盡，淒清的胡笳聲摻和著砧杵聲傳入耳中，四周一片淒涼。深秋送別，心中無限淒苦。日落西山，長滿蒹葭的水濱平添了蕭疏淒冷。你將上路遠行，置酒送別，想要將你留下卻無法留住。不要讓愁雲遮住了你行走的路，使我看不到你遠行的身影。你是否會在途中夜投荒村，在夕陽中看那裏社鼓迎神的慶典？然而這一切我都無法看到了，衹能獨自黯然傷懷。

又

蕭瑟蘭成看老去，爲怕多情，不作憐花句。閣淚倚花愁不語，暗香飄盡知何處？　重到舊時明月路。袖口香寒，心比秋蓮苦。休說生生花裏住，惜花人去花無主。

詞解　我如同庾信一般在寂寞淒清中老去，害怕多情，所以不寫憐花的詩句。於是含著眼淚，倚著花朵，不知落紅散盡會香飄何處？又來到我們曾經一起走過的小路，當初明月清風，如今卻袖口香寒，一顆心比秋蓮還要愁苦。惜花的人已經永遠離去，花已經沒有了主人，還說什麼生生世世都住在花裏呢？

又　夏夜

露下庭柯蟬響歇。紗碧如煙，煙裏玲瓏月。並著香肩無可說，櫻桃暗吐丁香結。　笑捲輕衫魚子纈。試撲流螢，驚起雙棲蝶。瘦斷玉腰沾粉葉，人生那不相思絕。

詞解　這首詞描繪夏夜與戀人共度的情景：庭院結滿露珠的樹上，有蟬在鳴唱，輕紗如煙似霧，月色朦朧。你我默默地肩並著肩，心中的愁緒卻暗自消解。朦朧月下，你笑著捲起衣袖，撲捉飛來飛去的螢火蟲，卻不經意驚起了花上雙宿雙棲的蝴蝶。如今想來，怎不讓人相思成病，日漸消瘦，傷心欲絕？

又　出塞

今古河山無定據。畫角聲中，牧馬頻來去。滿目荒涼誰可語？西風吹老丹楓樹。　從前幽怨應無數。鐵馬金戈，青塚黃昏路。一往情深深幾許，深山夕照深秋雨。

吳世昌詞林新詞話此首通體俱佳唯換頭從前幽怨不葉可倒爲幽怨從前

詞解 這首詞描寫出塞情景，詞風蒼涼慷慨：自古以來，權力紛爭不止，江山變化無常。戰事不斷，戰馬在畫角聲中頻繁往來。西風吹散落葉，滿目的凄涼能與誰訴說？不停的紛爭，不息的戰火，這滿懷的幽怨向誰傾訴？祇有對昭君的青塚訴說了。曾經的一往情深能有多深？是否深似這山中的夕陽與深秋的苦雨呢？

又

盡日驚風吹木葉。極目嵯峨，一丈天山雪。去去丁零愁不絕，那堪客裏還傷別。　若道客愁容易輟。除是朱顏，不共春銷歇。一紙鄉書和淚摺，紅閨此夜團欒月。

詞解 這首詞表現天涯羈旅、遊子落拓的凄涼悲傷：在這裏，盡日狂風呼嘯，極目望去，天山腳下樹葉盡落，積雪盈丈，一片皚皚白色。漸行漸遠已經讓人愁不自勝了，更何況還是在行役當中的傷別。若想行人的客愁能夠停止，那除非是紅潤的容貌常在，不會像春花一樣地凋萎。而現在朱顏憔悴，春華銷歇，又當如何呢？寫好書信，含著眼淚摺起，而此時不也正有人孤獨地對著團圓明月，懷念著我這遠在天山的人嗎！

又

準擬春來消寂寞。愁雨愁風，翻把春擔閣。不爲傷春情緒惡，爲憐鏡裏顏非昨。　畢竟春光誰領略？九陌緇塵，抵死遮雲壑。若得尋春終遂約，不成長負東君諾。

詞解 這首詞表現詞人厭於侍衛生涯、蹉跎日老的感慨：本來打算在大好的春光下消遣寂寞，無奈愁風愁雨辜負了春光。情緒不好並不是因爲傷春所致，而是因爲對鏡顧影自憐，顏容已日漸憔悴。那繁華的鬧市總是將幽僻的山谷遮蔽，有誰來領略這美好的春光？怎樣纔能不辜負春光，遂我心願呢，難道總是讓我有負春神嗎？

唐多令　雨夜

絲雨織紅茵，苔階壓繡紋。是年年腸斷黃昏。到眼芳菲都惹恨，那更說，塞垣春。　蕭颯不堪聞，殘妝擁夜分。爲梨花深掩重門。夢向金微山下去，纔識路，又移軍。

詞解 這首詞寫雨夜相思，描摹閨人思「我」的情景：細雨霏霏，使庭院裏變得花紅階綠。年年都在令人愁斷腸的黃昏中度過。滿眼的芳菲都能無端惹起春愁，更不要說是這邊關的春色了！那風雨蕭颯的聲音是不能聽的，聽了便會讓人傷心。夜半時分擁衾無眠，妝已殘，人孤單，爲了不讓梨花飛盡，於是緊緊關上閨門。夢裏來到你征戰的沙場，誰知纔剛剛找到去路，你卻已隨軍隊轉移，不知所蹤。

又

金液鎮心驚，煙絲似不勝。沁鮫綃湘竹無聲。不爲香桃憐瘦骨，怕容易，減紅情。 將息報飛瓊，蠻箋署小名。鑒淒涼片月三星。待寄芙蓉心上露，且道是，解朝酲。

詞解 這首詞用衆多典故抒發朦朧之情：美酒喝過了，平靜的心爲之驚動，連那輕緩的香煙也仿佛承受不了。手帕上沁滿了淚痕，連那滿是淚痕的湘妃竹也默默無聲。不貪戀那如仙境一般的境界，而是憐愛那仙女一般的人，怕的是容易消減了愛情。在信箋上寫下詩句，簽上小名，送與天上的仙女報聲珍重。明鏡一般的天空，彎月明星，倍覺淒涼。待我寄去荷花上的露水，讓它寬慰你那如醉如痴的相思。

又 塞外重九

古木向人秋，驚蓬掠鬢稠。是重陽何處堪愁。記得當年惆悵事，正風雨，下南樓。 斷夢幾能留，香魂一哭休。怪涼蟾空滿衾裯。霜落烏啼渾不睡，偏想出，舊風流。

詞解 這首詞寫在塞上重陽傷感：深秋重陽，蓬草連飛，塞外一派蕭疏荒涼，觸動了離愁與相思。記得當年重九日的往事，你在風雨之中走下南樓。夢斷憶夢，夢中你音容宛然，卻一哭而別，好夢醒了。都怪那清冷的月光，照得滿牀清輝，把夢驚醒。窗外滿地霜華，城烏夜啼，反反復復不能入眠，於是想起以前的風流舊事，愈加愁懷難耐。

踏莎美人 清明

按此調爲顧梁汾自度曲

拾翠歸遲，踏青期近，香箋小疊鄰姬訊。櫻桃花謝已清明，何事

綠鬢斜嚲寶釵橫。　淺黛雙彎，柔腸幾寸，不堪更惹其他恨。曉窗窺夢有流鶯，也說個儂憔悴可憐生。

詞解　這首詞寫閨中女子清明相約踏青卻百無聊賴的春愁：清明快要到了，正是遊春踏青的好時節，鄰家女伴寫來信箋相邀遊春。然而櫻桃花都謝了，清明將過，卻不知爲了何事而蹉跎。衹因疏慵倦怠，本就愁緒滿懷，於是不願再去惹新恨了。如此愁緒誰能明了，恐怕唯有那清曉窗外的流鶯知曉了。

蘇幕遮

枕函香，花徑漏。依約相逢，絮語黃昏後。時節薄寒人病酒。剗地梨花，徹夜東風瘦。　掩銀屏，垂翠袖。何處吹簫，脈脈情微逗。腸斷月明紅豆蔻。月似當時，人似當時否？

詞解　這首詞寫懷念戀人的痴情：枕頭上還留有餘香，花徑裏尚存春意，那梨花一夜之間在東風中飄落。病酒之後的黃昏恍惚間與她相遇，仿佛來到原來相約的地點，在夕陽下細語綿綿。而今卻銀屏重掩，影隻形單。在孤孤單單中又聽到了脈脈傳情的簫聲。此時，明月正照在那紅豆蔻之上。那時曾月下相約，如今月色依然，人卻分離，不知她是否依然如舊？

又　詠浴

鬢雲鬆，紅玉瑩。早月多情，送過梨花影。半晌斜釵慵未整。暈入輕潮，剛愛微風醒。　露華清，人語靜。怕被郎窺，移卻青鸞鏡。羅襪凌波波不定。小扇單衣，可耐星前冷。

詞解　這首詞描摹女子情態，粉香脂膩，接近花間詞風：月色初上，穿過梨花，多情地映照著她蓬鬆的髮髻，瑩潤的肌膚。無奈她嬌惰慵懶，遲遲不肯梳妝，臉上泛著紅潮，享受著拂面的清風。直到月色清冷，夜闌人靜，纔開始梳妝，又怕被愛郎窺見，於是悄移明鏡。看她憐步微移、步履輕盈，衣著單薄，怎麼能耐得住這夜晚的寒冷呢？

淡黃柳　詠柳

三眠未歇，乍到秋時節。一樹斜陽蟬更咽，曾綰灞陵離別。絮已爲萍風卷葉，空淒切。　長條莫輕折。蘇小恨，倩他說。儘飄零、

遊冶章臺客。紅板橋空，湔裙人去，依舊曉風殘月。

詞解 這首詞詠秋初之柳：三眠柳還沒有來得及休息，秋天就乍然降臨了。寒蟬幽咽，經過灞陵離別。如今飛絮飄落水面成爲浮萍，風捲落葉飛舞，空留悲涼淒切。不要輕易折取柳條作別，蘇小小的遺恨還需要它來訴說，那章臺遊玩之客看它零落殆盡，如今送別的紅板橋已經空寂無人，伊人已去，徒留曉風伴殘月。

青玉案 人日

東風七日蠶芽軟。青一縷、休教翦。夢隔湘煙征雁遠。那堪又是，鬢絲吹綠，小勝宜春顫。　繡屏渾不遮愁斷，忽忽年華空冷暖。玉骨幾隨花骨換。三春醉裏，三秋別後，寂寞釵頭燕。

詞解 這首詞吟詠節序，意在感傷離別：正月初七是爲人日，桑樹吐新芽，青青一縷。離人卻遠隔千里，猶如南征之雁不在身邊。縱然是綠鬢如雲，金衣玉勝，也祇能顧影自憐。時光流轉，年華易逝，那春愁別恨豈是繡屏就能遮避的。如今容顏變換，青春流逝，那離愁別緒年復一年，不曾間斷。

又 宿烏龍江

東風卷地飄榆莢，纔過了，連天雪。料得香閨香正徹。那知此夜，烏龍江上，獨對初三月。　多情不是偏多別，別離祇爲多情設。蝶夢百花花夢蝶。幾時相見，西窗翦燭，細把而今說。

詞解 這首詞寫行役在外、思念愛妻的深情：烏龍江一帶天氣早寒，夏天剛剛過去，冬天便立即到來。想必此時閨中正是花香四溢的時候。哪裏知道在烏龍江上的離人正獨自黯然神傷。並不是因爲多情而多了離別，而是因爲離別偏就是爲多情人而設的。與你身處離別，猶如迷離恍惚之夢境。什麼時候纔能與你相聚，秉燭夜談，訴說我的衷情呢！

詞評 冬天，詩人到了烏龍江畔，遠離家鄉，思念自己的親人，渴望著團聚。這詞一氣呵成，不事雕飾，是作者眞樸感情的自然流露。

——黃天驥《納蘭性德和他的詞》

月上海棠 中元塞外

原頭野火燒殘碣，歎英魂才魄暗消歇。終古江山，問東風幾番涼

熱。驚心事，又到中元時節。　凄涼況是愁中別，枉沉吟千里共明月。露冷鴛鴦，最難忘滿池荷葉。青鸞杳，碧天雲海音絕。

詞解 這首詞是作者在塞外鬼節之時的悲慨：中元時節到來，面對眼前荒漠的殘碑斷碣，想起古往今來那些浴血沙場的英魂。他們的賢愚不肖，都早已成爲過去。歷史就是如此無情，古今寒暑，勝衰興亡都成陳跡。身處塞外，恰逢中元之日，但音書阻隔，令人更加孤獨寂寞。於是獨自沉吟那千里共明月的詩句，雖不免惘然神傷，卻可聊以自慰。

又　瓶梅

重檐澹月渾如水，浸寒香一片小窗裏。雙魚凍合，似曾伴個人無寐。橫眸處，索笑而今已矣。　與誰更擁燈前髻，乍橫斜疏影疑飛墜。銅瓶小注，休教近麝爐煙氣。酬伊也，幾點夜深清淚。

詞解 這首詞藉瓶梅抒發相思和傷逝之情：月光如水灑在屋檐上，瓶中的梅花開了，小窗裏沉浸在一片清香當中。天氣寒冷，雙魚洗已經結冰，孤單的人兒不能入睡。回想當時的眉目傳情，而今都已一去不返。當初與誰一起在燈下花前，看那梅花的疏影？如今，又是銅瓶花開，麝煙繚繞，你卻不在身旁了，唯有以這幾滴相思之淚寄託我的深情。

一叢花　詠並蒂蓮

闌珊玉佩罷霓裳，相對綰紅妝。藕絲風送凌波去，又低頭、軟語商量。一種情深，十分心苦，脈脈背斜陽。　色香空盡轉生香，明月小銀塘。桃根桃葉終相守，伴殷勤、雙宿鴛鴦。菰米漂殘，沉雲乍黑，同夢寄瀟湘。

詞解 這首詞吟詠並蒂蓮，形神兼備：並蒂蓮花開了，猶如剛剛跳過舞後玉佩闌珊的美人，兩朵蓮花盤繞聯結在一起。微風搖動，藕絲相連，在夕陽下，竊竊私語，含情脈脈，如同凌波仙子般美麗動人，怎不叫人心生憐愛！明月之下，銀塘之中，散發著醉人的清香。池中蓮如同桃根與桃葉般姐妹情深，永不分離，又有殷勤的鴛鴦游來做伴。即使風雲變幻，花瓣凋落，也會像娥皇、女英般共同進退，生死不棄。

金人捧露盤　淨業寺觀蓮，有懷蓀友

藕風輕，蓮露冷，斷虹收。正紅窗初上簾鈎。田田翠蓋，趁斜陽魚浪香浮。此時畫閣垂楊岸，睡起梳頭。　舊遊蹤，招提路，重到處，滿離憂。想芙蓉湖上悠悠。紅衣狼藉，臥看桃葉送蘭舟。午風吹斷江南夢，夢裏菱謳。

詞解　這首詞抒寫故地重遊、懷念友人之情：夕陽中，清風徐來，殘虹漸收，風吹蓮動，美不勝收。是誰在此時閑坐在楊柳畫閣中，剛剛睡起梳頭。故地重遊，回憶舊事，不勝離愁。你此刻是否在芙蓉湖畔逍遙自在呢？那麼愜意的生活是多麼令人嚮往，夢中來到那裏，聽菱歌唱晚，看美人泛舟，衹是這午後惱人的清風將我的江南美夢吹醒。

洞仙歌　詠黃葵

鉛華不御，看道家妝就。問取旁人入時否。爲孤情澹韻，判不宜春，矜標格、開向晚秋時候。　無端輕薄雨，滴損檀心，小疊宮羅鎮長皺。何必訴淒清，爲愛秋光，被幾日西風吹瘦。便零落蜂黃也休嫌，且對倚斜陽，勝偎紅袖。

詞解　這首詞吟詠黃葵的形貌和情致：黃葵花開，不香艷濃烈，不施粉黛，洗盡鉛華，衹是素雅的一身黃衣，猶如遁世的道人。且要問這身裝扮是否入時？她那孤寂淒清的風範，必然不流世俗，也不願迎合春天，衹願開在這深秋時候。秋雨淅瀝，滴灑在花上，使那像宮羅一樣的花蕊微微地折皺。何必述說淒清悲涼呢，衹因爲愛這秋日，哪怕被秋風吹散也無怨尤，即便零落凋殘後比不上那塗額花黃也不要嫌惡。至少能與夕陽相伴，總勝過依附在美人的額頭。

翦湘雲　送友

按此調為顧梁汾自度曲

險韻慵拈，新聲醉倚。儘歷徧情場，懊惱曾記。不道當時腸斷事，還較而今得意。向西風約略數年華，舊心情灰矣。　正是冷雨秋槐，鬢絲憔悴，又領略愁中送客滋味。密約重逢知甚日，看取青衫和淚。夢天涯繞徧盡由人，只樽前迢遞。

詞解　這首詞寫戀友惜別：上闋說采用新聲塡詞。不願采用險韻，在酒醉中隨意塡寫新詞，無拘無束。還記得往日情場失意，懊惱不已，而今日的失意卻要比往日的失意更令人沉痛，透出送別的濃濃傷感。對著秋風暗數年華，無論今昔都令人心灰意冷。下闋寫愁風冷雨。形容憔悴，又一次領略到送別的愁苦滋味。盼望重逢卻不知何時可見，看淚滿青衫，離愁無限，天涯路遠，唯有以酒相送了。

東風齊著力

電急流光，天生薄命，有淚如潮。勉爲歡謔，到底總無聊。欲譜頻年離恨，言已盡、恨未曾消。憑誰把、一天愁緒，按出瓊簫。往事水迢迢。窗前月，幾番空照魂銷。舊歡新夢，雁齒小紅橋。最是燒燈時候，宜春髻、酒暖蒲萄。淒涼煞、五枝青玉，風雨飄飄。

詞解　這首詞訴說自己透徹心扉的傷感與苦情：時光飛逝，人生苦短，又加上天生福薄，想到這些不覺淚如雨下。即使強顏歡笑，最後也是百無聊賴。想要將胸中的愁苦寫下，然而所有的語言都已說盡，但心頭之恨仍然未消。是誰在吹奏玉簫？那簫聲如此淒切，更使人銷魂。那窗前的明月，又一次照著月下這銷魂之人。往事如同江水般連綿不斷地湧上心間，夢裏憶裏都是你我往日的歡會，那最宜人的是元宵佳節，可以久久地欣賞你那形狀美麗的髮髻，飲著那暖人的葡萄美酒。如今夢已醒，憶成空，衹有淒風冷雨，寂寞孤燈，怎不叫人斷腸傷情？

滿江紅　茅屋新成卻賦

問我何心，卻構此、三楹茅屋。可學得、海鷗無事，閑飛閑宿？百感都隨流水去，一身還被浮名束。誤東風遲日杏花天，紅牙曲。

塵土夢，蕉中鹿。翻覆手，看棋局。且耽閑殢酒，消他薄福。雪後誰遮檐角翠，雨餘好種墻陰綠。有些些欲說向寒宵，西窗燭。

詞解　問我爲什麼要造這三間草房，可是爲了像海鷗那樣無憂無慮，自由自在？將心中的感慨都付與流水，拋開這人世浮名的束縛。在那春天賞花歌舞。下闋點出爲何要擺脫「浮名束」。是因爲這人生如夢，變幻無常，令人無可奈何，不如冷眼旁觀，與友人把酒言歡，消受清福。一起看

雪賞雨，西窗翦燭。

詞人逸事 納蘭性德雖人在仕途，卻淡泊功名，欲效陶淵明等先賢的心情則更爲明顯，他有詩云：「吾本落拓人，無爲自拘束。倜儻寄天地，樊籠非所欲。」

康熙二十三年（一六八四），顧貞觀南歸整三年，爲招顧貞觀回京，納蘭性德特地修建了茅屋三間，並寫下了《滿江紅・茅屋新成・卻賦》以迎接顧貞觀，同時作詩《寄梁汾並葺茅屋以招之》以明志：「三年此離別，作客滯何方？隨意一尊酒，殷勤看夕陽。世誰容皎潔，天特任疏狂。聚首羨麋鹿，爲君構草堂。」可見他與顧貞觀的友情之深厚。

又

代北燕南，應不隔、月明千里。誰相念、胭脂山下，悲哉秋氣。小立乍驚清露濕，孤眠最惜濃香膩。況夜烏啼絕四更頭，邊聲起。

消不盡，悲歌意；勻不盡，相思淚。想故園今夜，玉闌誰倚？青海不來如意夢，紅箋暫寫違心字。道別來渾是不關心，東堂桂。

詞解　這首詞寫的是塞上月夜懷妻：你我天南地北，然而不能阻隔千里明月，天涯此時。我佇立在寒夜風中，承受著這寒冷淒清，孤枕難眠。已近四更，城烏夜啼，邊聲四起，此刻誰又在遠方掛念塞外苦寒的我呢？悲歌不勝消受，悲淚暗流不止，在家鄉的故園裏，誰又在獨倚著欄杆同樣神傷呢？衹恨無夢可慰相思，唯以違心之字的書信自慰。

又

爲問封姨，何事卻、排空捲地。又不是、江南春好，妒花天氣。葉盡歸鴉棲未得，帶垂驚燕飄還起。甚天公不肯惜愁人，添憔悴。

攪一霎，燈前睡。聽半晌，心如醉。倩碧紗遮斷，畫屏深翠。隻影淒清殘燭下，離魂縹緲秋空裏。總隨他泊粉與飄香，真無謂。

詞解　這首詞寫塞上秋風排空捲地之景和自己的淒清無聊之情：相問秋風，因何這般排空捲地而來。現在又不是江南的妒花時節，爲何要如此狂風大作？狂風將樹葉吹落，使歸來的烏鴉無處棲息，使小燕驚飛，幾欲墜落，又被風吹起。老天不肯憐惜愁苦的旅人，偏要爲他增添憔悴。在燈前剛剛睡去，便被狂風聲攪醒。耳旁的狂風吹了半晌，心如酒醉一般渾沌不明。指望那綠窗與畫屏能遮擋住狂風。孤燈殘影，離魂縹緲，吹殘的花瓣與飄散的花香都隨之而去，怎不叫人倍覺傷情？

又

爲曹子清題其先人所構楝亭，亭在金陵署中

籍甚平陽，羨奕葉、流傳芳譽。君不見、山龍補袞，昔時蘭署。飲罷石頭城下水，移來燕子磯邊樹。倩一莖黄楝作三槐，趨庭處。

延夕月，承晨露。看手澤，深餘慕。更鳳毛才思，登高能賦。入夢憑將圖繪寫，留題合遣紗籠護。正綠陰青子盼烏衣，來非暮。

詞解　這首詞是寫給皇帝心腹之臣曹寅的題贈之作：曹氏一家聲名顯赫，芳譽流傳。昔日享有高官厚祿，名滿金陵。先人栽種了一株黄楝於亭外，這便預示了曹家鼎盛，必有三公之功高位顯者在。果然澤被後世，讓曹家世代顯赫。看到天子爲曹氏的題字，深深爲之欽慕。其子孫也承繼了祖上的遺風遺業，都有著超人的才華。曹家祖上自是顯赫，如今也是地位非同尋常。此際正如日中天，那亭畔之黄楝綠色成蔭，青果纍纍，盼燕子飛還。

詞人逸事　曹子清即曹寅，先世漢族，自其祖父起爲滿洲貴族的包衣，隸屬於正白旗。曹寅十六歲時入宮爲康熙御前侍衛，一說曾做過康熙伴讀，曹寅與康熙這對少年君臣在幼時建立了良好的關係，一生深得康熙信任。曹寅與納蘭性德同爲康熙帝侍衛八年，交誼很深。曹寅描述納蘭性德時曾這樣寫道：「憶昔宿衛明光宮，楞伽山人貌姣好。」楞伽山人就是納蘭性德的號。而納蘭性德的騎術、劍術、武藝、文章在當時皆是一流的。而納蘭性德對曹寅也不吝讚美之詞，這首《滿江紅》就是康熙二十二年（一六八三）他扈駕南巡到江寧時所作。可見二人的交情和對彼此的仰慕。

甚至到了曹寅的孫子曹雪芹時依然延續，和珅將曹雪芹所著的《石頭記》奉呈乾隆皇帝，乾隆閱讀後說：「此蓋爲明珠家事作也。」難怪俞樾在《小浮梅閑話》中據此說賈寶玉就是納蘭性德，開了《紅樓夢》研究中索隱派先河。

滿庭芳

堠雪翻鴉，河冰躍馬，驚風吹度龍堆。陰燐夜泣，此景總堪悲。待向中宵起舞，無人處、那有村雞。只應是，金笳暗拍，一樣淚沾衣。　須知今古事，棋枰勝負，翻覆如斯。歎紛紛蠻觸，回首成非。剩得幾行青史，斜陽下、斷碣殘碑。年華共，混同江水，流去幾時回。

詞解　這首詞藉古代戰場抒發今日悲憤：站在這古代戰場的遺址之上，看如今寂寞荒涼之境，昇起荒寒陰森之感。本有祖逖聞鷄起舞的愛國之心，村鷄卻已蹤跡全無，無處尋找。祇聽得金笳聲聲，不覺淚濕衣襟，徒增傷感。要知道古往今來，勝敗得失，都如翻雲覆雨般變化無常，虛無短暫。一切紛爭、一切功業，到頭來祇不過徒留幾行青史，除了夕陽下斜矗的斷碣殘碑之外，什麼都剩不下。年華就如同這松花江水一般，流去之後不知什麼時候能夠再回來。

詞人逸事　納蘭性德現可考的始祖名星懇達爾漢，蒙古人，姓土默特，發展壯大後一舉消滅女真納喇部，移居其地，改姓納喇。後族衆繁衍，人多勢盛，遷至葉赫河岸，形成擁有十五個部落的葉赫部，被稱爲葉赫納喇（又譯納蘭、那拉）氏，爲滿洲八大姓之一。當時清太祖努爾哈赤尚勢薄兵寡，勢力強大的葉赫部長楊吉砮十分器重努爾哈赤的才幹，將幼女孟古許配之，孟古後生清太宗皇太極，被尊爲孝慈高皇后。努爾哈赤在關外建立基業後，姻眷之間卻因爭奪疆土變成了水火不容的仇敵。

葉赫部長楊吉砮在對抗努爾哈赤統一東北女真的戰爭中，城陷身死。天命四年（一六一九），努爾哈赤大敗葉赫部，性德的曾祖父葉赫部首領貝勒金臺石被困城樓臺，寧死不降，自焚身亡，並詛咒：「我葉赫那拉氏，就算衹剩下一個女子，也要滅你們滿洲國！」清末的慈禧太后，即出於葉赫那拉氏。因此，世俗有一説：這正是應驗了金臺石的詛咒，以致慈禧倒行逆施，果然使大清因她而亡國。其子尼雅韓束手歸降，尼雅韓即爲納蘭祖父。此後，金臺石劫後的子孫就被劃爲滿洲正黃旗。

又　題元人《蘆洲聚雁圖》

似有猿啼，更無漁唱，依稀落盡丹楓。濕雲影裏，點點宿賓鴻。占斷沙洲寂寞，寒潮上、一抹煙籠。全不似、半江瑟瑟，相映半江紅。　楚天秋欲盡，荻花吹處，覓日冥濛。近黃陵祠廟，莫采芙蓉。我欲行吟去也，應難問、騷客遺蹤。湘靈杳、一樽遙酹，還欲認青峯。

詞解　這首詞爲題畫之作：上闋摹寫畫圖之景。這圖畫栩栩如生，仿佛能聽到猿啼，卻沒有漁唱之聲，紅色的楓葉已經落盡，天空的濕雲裏飛過點點雁影。寂寞沙洲，滾滾寒潮，輕煙朦朧，完全不像白居易所描繪的江邊傍晚美麗的情景。已近深秋，蘆花處處，一派迷濛之景。經過二妃黃陵祠廟，千萬不要采摘荷花。我欲行吟而去，想起三閭大夫，如今卻難尋蹤跡。想起娥皇、女英，她們的蹤影已杳不可見，於是不勝歎惋，衹有舉杯遙祭。

水調歌頭　題西山秋爽圖

空山梵唄靜，水月影俱沉。悠然一境人外，都不許塵侵。歲晚憶曾遊處，猶記半竿斜照，一抹映疏林。絕頂茅庵裏，老衲正孤吟。　雲中錫，溪頭釣，澗邊琴。此生著幾兩屐，誰識臥遊心？準擬乘風歸去，錯向槐安回首，何日得投簪？布襪青鞋約，但向畫圖尋。

詞解　這首詞是題畫之作：上闋側重景與境的描寫。空山梵唄，水月洞天，這世外幽靜的山林，不惹一絲世俗的塵埃。還記得那夕陽西下時，疏林上一抹微雲的情景。在懸崖絕頂之上的茅草屋中，一位老和尚正在沉吟。下闋側重觀畫之感受與心情的刻畫。行走在雲山之中，垂釣於溪頭之上，彈琴於澗水邊，眞是快活無比。隱居山中，四處雲遊，一生又能穿破幾雙鞋子，而我賞畫神遊的心情又有誰能理解？往日誤入仕途，貪圖富貴，如今悔恨，想要歸隱山林，但是這一願望要到何日纔可以實現呢！衹希冀從這畫中得到安慰。

又　題岳陽樓圖

落日與湖水，終古岳陽城。登臨半是遷客，歷歷數題名。欲問遺蹤何處，但見微波木葉，幾簇打魚罾。多少別離恨，哀雁下前汀。　忽宜雨，旋宜月，更宜晴。人間無數金碧，未許著空明。澹墨生綃譜就，待倩橫拖一筆，帶出九疑青。仿佛瀟湘夜，鼓瑟舊精靈。

詞解　這首詞爲題畫之作，讚美圖畫，感慨人事：這岳陽樓的落日與湖水自古以來都是岳陽城的名勝。來到這裏的大都是遷客騷人，留下了無數不朽的詩句。但要問尋他們的遺蹤，衹能看到洞庭微波，木葉凋零，幾處漁網橫臥。人世間多少離恨，都如同這寂寞哀雁飛下孤洲。無論風雨晴空，無論明月暮靄，都各具風情。人間無數精美的金碧山水畫，都不及它的澄澈空明。衹用淡墨生絹摹畫，巧妙地橫向拖出一筆，那九疑山青青的風神便呈現出來，就如同在這瀟湘夜色中，那湘水之神正彈奏著古瑟般栩栩如生！

詞評　這是一首意境空靈，格調超逸的題畫詞。詞中結合畫面所見的景色，融入了不少有關岳陽樓、洞庭湖的典故名句，流暢自如，不露痕跡。

全詞音節鏗鏘，一氣呵成，而又餘韻裊裊，回響不絕。

——盛冬鈴《納蘭性德詞選》

鳳凰臺上憶吹簫　除夕得梁汾閩中信，因賦

荔粉初裝，桃符欲換，懷人擬賦然脂。喜螺江雙鯉，忽展新詞。稠疊頻年離恨，怱怱裏、一紙難題。分明見、臨緘重發，欲寄遲遲。

心知。梅花佳句，待粉郎香令，再結相思。記畫屏今夕，曾共題詩。獨客料應無睡，慈恩夢、那值微之。重來日，梧桐夜雨，卻話秋池。

詞解　這首詞是除夕之夜得到友人所寄信函後的懷友之作：薜荔萌發，春聯欲換，在這辭舊迎新的時刻，懷人之情油然而起，遂點燈而賦。卻欣喜地得到了來自閩中友人的書信，展開來奉讀那動人的新詞。這多年的離愁別恨，又豈能在這匆匆書寫的一紙信文中說盡。於是信寫好後，將封寄出，又拆開來，猶恐漏掉什麼、未盡深意。記得曾經的除夕之夜，我們在一起題詩。心中明了，那詠梅的佳句還在等待著你回來題賦。料想你獨自在閩中，此時正輾轉不眠，而京華舊遊之事猶如夢幻，你已不在其中。遙想他日重逢，當是在梧桐夜雨之時，那時定然能一起追憶今日的情景。

又　守歲

錦瑟何年，香屏此夕，東風吹送相思。記巡檐笑罷，共撚梅枝。還向燭花影裏，催教看、燕蠟雞絲。如今但、一編消夜，冷暖誰知？

當時。歡娛見慣，道歲歲瓊筵，玉漏如斯。悵難尋舊約，枉費新詞。次第朱旛剪綵，冠兒側、鬭轉蛾兒。重驗取，盧郎青鬢，未覺春遲。

詞解　這首詞藉寫節序抒發懷人之感：什麼時候纔能再有那美好的時光啊，今歲的除夕祇剩錦瑟相伴，東風吹來則更增添了相思。還記得當年你我共度除夕的情景，那時你我歡笑著往來於檐下，之後又共撚著梅枝。在燈影裏催看手中的蠟燕、絲雞做得如何。如今我卻手持著一卷書來消磨著除夕，我的傷心寂寞還有誰能知曉？那時見慣了歡娛的情景，沒想到會有今日的孤寂。當時還說以後年年都會有美宴，漏壺的滴答聲也會永遠如此。如今卻難以實現舊時的願望，如何不叫人惆悵。家家戶戶掛起朱旛綵旗，人們高高興興地戴上了迎新的裝飾。再來看看我，雖然仍是青春年少，心卻已老。

金菊對芙蓉　上元

金鴨消香，銀虯瀉水，誰家夜笛飛聲？正上林雪霽，鴛甃晶瑩。魚龍舞罷香車杳，剩尊前袖擁吳綾。狂遊似夢，而今空記，密約燒燈。　追念往事難憑。歎火樹星橋，回首飄零。但九逵煙月，依舊籠明。楚天一帶驚烽火，問今宵可照江城？小窗殘酒，闌珊燈灺，別自關情。

詞解　這首詞抒寫上元之日的感懷：元宵佳節到來，看香爐中輕煙裊裊，漏壺滴水，不知哪裏傳來了玉笛之聲。現在園囿中正是大雪初霽，飛檐碧瓦分外晶瑩。街市上熱鬧非常，魚龍雜耍，香車寶馬，衹有我一個人對酒獨坐。記得當初相約今日一起賞燈，如今卻恍然成夢。懷念往事，心中難平。那滿眼的燈火璀璨，卻是不堪回首。那京城的通衢大道上，煙雲繚繞，月色朦朧。如今南方戰事未平，不知今日是否也會有如此熱鬧的燈火相照？我卻對著小窗殘酒，望著微弱的燭光，感慨萬千。

琵琶仙　中秋

碧海年年，試問取冰輪，爲誰圓缺。吹到一片秋香，清輝了如雪。愁中看好天良夜，爭知道盡成悲咽。隻影而今，那堪重對，舊時明月。　花徑裏戲捉迷藏，曾惹下蕭蕭井梧葉。記否輕紈小扇，又幾番涼熱。止落得填膺百感，總茫茫不關離別。一任紫玉無情，夜寒吹裂。

詞解　這首詞描繪了中秋月下的景致：年年歲歲，問那天上的明月在爲誰圓缺？待到了桂花飄香時，那月色更加清净如雪。這花好月圓的美好景色，在滿懷愁緒的人看來也衹覺傷感嗚咽。形單影隻，該如何去面對那舊時的明月？曾記得我們在鮮花小徑追逐嬉戲，惹得梧桐樹葉紛紛飄落，還記得那輕紗團扇陪伴了幾個寒秋。如今卻衹落得胸中百感交集，無處申訴。任憑那幽咽的笛聲喚起舊夢，吹到天明。

御帶花　重九夜

晚秋卻勝春天好，情在冷香深處。朱樓六扇小屏山，寂寞幾分塵土。虯尾煙消，人夢覺、碎蟲零杵。便強說歡娛，總是無憀心緒。

轉憶當年，消受盡皓腕紅萸，嫣然一顧。如今何事，向禪榻茶煙，怕歌愁舞。玉粟寒生，且領略月明清露。歎此際淒涼，何必更滿城風雨。

詞解　這首詞寫重陽節的無聊心緒，同時憶舊抒懷：深秋季節的景致要比春天更美好，無限風情盡在秋日的花香深處。小樓的屏風落下些許微塵，卻無人打掃。盤香煙消，孤獨的人被窗外傳來的蟲鳴聲和搗衣聲驚醒，再難成眠。即使強顏歡笑，那百無聊賴的心緒也難以消減。記得當年，有伊人相伴一旁，那嫣然一笑，如今猶自燦爛。現如今，卻空寂無聊，獨自禪坐，怕見那歌舞繁華。清風雨露，霜華漸生，不覺寒冷。縱使不是滿城風雨，而是勝卻春天的美好秋夜，也已經衹能感受到無比的淒涼冷清了。

念奴嬌

人生能幾？總不如休惹、情條恨葉。剛是尊前同一笑，又到別離時節。燈灺挑殘，爐煙爇盡，無語空凝咽。一天涼露，芳魂此夜偷接。

怕見人去樓空，柳枝無恙，猶掃窗間月。無分暗香深處住，悔把蘭襟親結。尚暖檀痕，猶寒翠影，觸緒添悲切。愁多成病，此愁知向誰說？

詞解　人生幾何？還是不要去招惹那些情恨愛愁吧。纔剛對酒一笑，離別的季節便又來到。看殘燈搖曳，爐煙燃盡，衹能默默無語暗自垂淚。你的芳魂在這滿天的涼露中與我相逢。柳枝遮掩了窗間的月色，我卻害怕看到人去樓空的淒涼景色。你我有緣無分，不能同居共處，眞悔恨當初那樣的親昵。淚痕猶在，芳影尚存，觸動我無邊的愁緒。愁苦成病，相思成疾，如今這寂寞哀愁又該對誰傾訴呢？

又

綠楊飛絮，歎沈沈院落、春歸何許？盡日緇塵吹綺陌，迷卻夢遊歸路。世事悠悠，生涯非是，醉眼斜陽暮。傷心怕問，斷魂何處金鼓？ 夜來月色如銀，和衣獨擁，花影疏窗度。脈脈此情誰得識？又道故人別去。細數落花，更闌未睡，別是閑情緒。聞余長歎，西廊唯有鸚鵡。

詞解 這首詞唱歎與故人別後的孤苦寂寞：窗外綠楊飛絮，庭院深深，不知春歸何處？終日的凡塵俗事讓人迷亂，已經找不到來時的路。世事變換，人生無常，唯有一雙醉眼看斜陽。何處傳來金鼓之聲，聽了如此讓人傷心斷腸？夜來月色如銀似水，孤獨的人卻衹能和衣獨坐在窗前的花影裏。知我者又別我而去，這種孤苦無告，幽獨寂寞又有誰能知曉？夜深難眠，空數落花，心緒寂寞如斯，那慨然長歎之聲也衹有西廊的鸚鵡能聽到了。

又 廢園有感

片紅飛減，甚東風不語、只催漂泊。石上胭脂花上露，誰與畫眉商略？碧甃瓶沈，紫錢釵掩，雀踏金鈴索。韶華如夢，爲尋好夢擔閣。 又是金粉空梁，定巢燕子，滿地香泥落。欲寫華箋憑寄與，多少心情難託。梅豆圓時，柳綿飄處，失記當時約。斜陽冉冉，斷魂分付殘角。

詞解 這首詞寫因廢園之景而起的無限愁懷：殘花飄飛，東風不語，衹是催促著它的凋謝。石頭上已經落下了紅紅的一片，畫眉啼鳴宛轉，猶如人之商討一般。井壁被雜草深掩，釵頭被苔蘚掩蓋，麻雀還踏在護花鈴繩上鳴啼，往日相遊相嬉的蹤跡都不見了。人生如夢，美好的時光易逝，都因爲尋找舊夢耽擱了。又是春滿人間，原來華美的屋梁上，燕子又飛回銜泥築巢了。想要寫信寄去相思，衹怕用盡所有語言也難以訴盡衷腸。梅花開時，柳絮飄處，都有我們當時的盟約。夕陽西下，殘角聲起，無限淒涼。

又 宿漢兒村

無情野火，趁西風燒徧、天涯芳草。榆塞重來冰雪裏，冷入鬢絲吹老。牧馬長嘶，征笳亂動，併入愁懷抱。定知今夕，庾郎瘦損多少。

便是腦滿腸肥，尙難消受，此荒煙落照。何況文園憔悴後，非復酒壚風調。回樂峯寒，受降城遠，夢向家山繞。茫茫百感，憑高唯有清嘯。

詞解　這首詞抒發出使塞上途中的感慨：塞上荒涼蕭索，無情的野火趁著秋風將無邊的芳草都燒遍了。再一次來到邊塞，又是風雪交加，寒風刺骨，催人老去。戰馬嘶鳴，號角聲起，淒冷苦寒，讓人傷懷，如庾郎愁懷難遣，致使身心憔悴消瘦。即便是腦滿腸肥的得意之人，也難以承受這長河落日、大漠孤煙的悲涼之景。又何況是如同司馬相如這樣往日風采不再的多愁多病之身呢？塞外苦寒荒涼，旅人夢回故鄉，心中百感雜陳，思緒茫茫，衹有登高長嘯纔能抒懷。

東風第一枝　桃花

薄劣東風，淒其夜雨，曉來依舊庭院。多情前度崔郎，應歎去年人面。湘簾乍捲，早迷了、畫梁棲燕。最嬌人清曉鶯啼，飛去一枝猶顫。

背山郭、黃昏開徧。想孤影、夕陽一片。是誰移向亭皋，伴

取暈眉青眼。五更風雨，莫減卻、春光一綫。傍荔墻牽惹遊絲，昨夜絳樓難辨。

詞解　這首詞爲詠桃花之作：薄情的東風，淒迷的夜雨，早晨的庭院依然如舊。多情的桃花卻綻開了，此情此景如果崔護看到，應當會發出人面桃花的感歎吧。捲起竹簾，看到梁間棲燕。清曉，耳邊黃鶯在枝頭歌唱，那細嫩輕柔的啼鳴聲最是動人，當它飛去後，桃枝猶自顫抖。桃花開遍山郭，在夕陽裏它的風采依然美麗，誰又將它移到水邊與楊柳爲伴，從而使它愈加動人迷離？接下去轉寫感受和良好的願望。結處忽宕起一筆，點醒題旨，回照了開端，景情融鑄合一，含悠然不盡之意，給人以感發，給人以聯想，給人以朦朧之美。夜來的風雨減損了春色，而那鮮艷的桃花依傍在薜荔牆下，愈發紅艷可愛，牽惹著遊絲，與那紅色的樓閣互掩難辨。

秋水　聽雨

按此調譜律不載，疑亦自度曲

誰道破愁須仗酒，酒醒後，心翻醉。正香消翠被，隔簾驚聽，那

又是點點絲絲和淚。憶翦燭幽窗小憩。嬌夢垂成，頻喚覺一眶秋水。　依舊亂蛩聲裏，短檠明滅，怎教人睡。想幾年蹤跡，過頭風浪，只消受一段橫波花底。向擁髻燈前提起。甚日還來，同領略夜雨空階滋味。

詞解　這首詞寫詩人聽秋雨而生發的情感：誰說消愁一定要喝酒，酒醒之後，心反而醉了。伊人已不在身邊，寂寞無聊，卻聽得窗外淅淅瀝瀝地下起了秋雨，可知那雨水是伴著淚水流下的呢。記得當初秋夜聞雨，西窗翦燭，你當時剛要睡著卻又被頻頻喚醒，眼神迷離的情景。現在已經是秋蟲哀鳴，燈光明滅，可寂寞卻叫人無法入睡。回想這幾年的足跡，經歷的風風雨雨，衹有與你相守的日子最讓人安慰。想和燈燭前擁髻的你訴說，又不知什麼時候纔能再回來，讓我們一起領略這秋雨纏綿的無盡秋意！

木蘭花慢　立秋夜雨，送梁汾南行

盼銀河迢遞，驚入夜，轉清商。乍西園蝴蝶，輕翻麝粉，暗惹蜂黃。炎涼。等閑瞥眼，甚絲絲點點攪柔腸。應是登臨送客，別離滋味重嘗。　疑將。水墨罨疏窗。孤影澹瀟湘。倩一葉高梧，半條殘燭，做盡商量。荷裳。被風暗翦，問今宵誰與蓋鴛鴦。從此羈愁萬疊，夢回分付啼螿。

詞解　這首詞爲送別之作：盼望著高遠的天河出現，入夜卻偏偏下起了悲淒的秋雨。秋風乍起，園中蜂飛蝶舞，一片淒涼的景象。世態炎涼。入秋夜雨本來是件等閑之事，但今夜那絲絲點點之聲卻攪斷了我的寸寸柔腸。送別又偏偏是在立秋夜雨之時，更加愁上添愁。煙雨濛濛，好像一幅疏窗孤影的水墨畫。加上夜雨梧桐、泣淚殘燭，令我費盡思量。荷葉被西風吹散，今夜誰來讓鴛鴦棲息呢？從此以後旅途勞頓，離憂惱人，當夢醒的時候，唯有悲切的寒蟬聲相伴了。

水龍吟　題文姬圖

須知名士傾城，一般易到傷心處。柯亭響絕，四絃纔斷，惡風吹去。萬里他鄉，非生非死，此身良苦。對黃沙白草，嗚嗚卷葉，平生恨、從頭譜。　應是瑤臺伴侶。祇多了、氈裘夫婦。嚴寒觱篥，幾行鄉淚，應聲如雨。尺幅重披，玉顏千載，依然無主。怪人間厚福，天公盡付，痴兒呆女。

詞解 這首詞爲題畫之作，描繪了文姬赴漠北的情景：要知名士與美人都是多情而敏感的，他們最易生愁動感。昨日的飄逸生活和無限才情都被無情的風雨吹去。從此以後孤身一人遠在萬里他鄉，生死難度，苦難良多。面對這荒涼邊塞，北風捲地，平生無限悲恨便從此開始了！蔡文姬本可以成爲漢家的貴婦人，或是宮中的妃子，如今卻身穿氈裘，遠嫁異族。面對這凄苦生活，思鄉之淚滂沱。這畫中的人兒已經過千秋萬載，卻依然未變。怪老天如此不公，使天下痴兒呆女偏得人間厚福。

詞人逸事 蔡文姬，名琰，字昭姬，爲避司馬昭的諱，改爲文姬。蔡文姬的父親是大名鼎鼎的蔡邕。文姬在父親的熏陶下自小耳濡目染，既博學能文，又善詩賦，兼長辯才與音律。初嫁河東衛家，衛家是河東世族，她的丈夫衛仲道更是太學出色的士子，夫婦兩人恩愛非常，可惜好景不長，不到一年，衛仲道便因咯血而死。文姬就此守寡在家。

當時正處東漢末年，軍閥混戰，北方匈奴趁機掠擄中原一帶，在「中土人脆弱，來兵皆胡羌，縱獵圍城邑，所向悉破亡。馬邊懸男頭，馬後載婦女，長驅入朔漠，回路險且阻」的狀況下，蔡文姬與許多被擄去的婦女，一齊被帶到南匈奴。

飽受番兵的凌辱和鞭笞，一步一步走向渺茫不可知的未來，當時蔡文姬剛剛二十三歲，正值青春年華。然而這一去就是十二年。她嫁給了虎背熊腰的匈奴左賢王，飽嘗了異族異鄉異俗生活的痛苦。後爲左賢王生下兩個兒子，她學會了吹奏「胡笳」。相傳《胡笳十八拍》即爲其所作，曲調哀怨，動人心魄。後來曹操統一北方，挾天子以令諸侯。曹操少年時代曾受蔡邕教導，得知文姬被擄，便派使者攜帶黃金千兩，白璧一雙，將她贖回，後改嫁董祀。

納蘭性德所題之畫正是文姬被擄時的情景，對她「萬里他鄉，非生非死。此身良苦」，「玉顏千載，依然無主」的命運表達了深刻的哀歎和同情。

又　再送蓀友南還

人生南北真如夢，但臥金山高處。白波東逝，鳥啼花落，任他日暮。別酒盈觴，一聲將息，送君歸去。便煙波萬頃，半帆殘月，幾回首，相思否。　可憶柴門深閉，玉繩低、翦燈夜語。浮生如此，別多會少，不如莫遇。愁對西軒，荔墻葉暗，黃昏風雨。更那堪幾處，金戈鐵馬，把凄涼助。

詞解　這首詞爲送別之作，表達愴然傷別的深摯友情：天南地北，人生如夢，不如歸隱高臥。看江水東流，花開花落，鶯歌燕語，任憑時光飛逝，何等愜意。眼前你我離別之情充滿了酒杯，衹能一聲歎息，送你離去。千里煙波，孤帆遠影，曉風殘月，相思之苦不堪回首。憶起柴門緊閉，斗轉星移，夜雨暢談的時光。人生如此惆悵，既然要有那麼多離別，不如當初沒有相知相遇。如今離別，愁風冷雨。更何況還有戰事不斷，更把這凄涼推向高潮。

齊天樂　上元

闌珊火樹魚龍舞，望中寶釵樓遠。鞦韆餘紅，琉璃賸碧，待屬花歸緩緩。寒輕漏淺。正乍斂煙霏，隕星如箭。舊事驚心，一雙蓮影藕絲斷。　莫恨流年似水，恨銷殘蝶粉，韶光忒賤。細語吹香，暗塵籠鬢，都逐曉風零亂。闌干敲徧。問簾底纖纖，甚時重見？不解相思，月華今夜滿。

詞解　這首詞寫的是在元宵之夜的所見所想：上元之夜，燈事已近尾聲，人們漸漸離去，遠遠望去，鬧市中的歌樓酒館也愈來愈遠了。遠遠望去燈市上紅紅綠綠的燈火像鞦韆、琉璃般星星點點，緩緩地消散。夜已深，寒意襲人，漏壺的水也快要滴完了。突然見到一雙蓮花形的燈影，於是陳年舊事被勾起，如同煙花般驟然昇起，並迅速擴散，令人心驚，又令人情思難斷。莫怪美好時光太過短暫。想你當時細聲細氣的談笑，吐氣如蘭，如今我卻是兩鬢生塵，散落在清晨的寒風裏。尋遍欄杆，那簾下的纖纖麗人，何時還能再見？月亮不知道人的相思，偏偏要在今夜團圓。

又　洗妝臺懷古

六宮佳麗誰曾見，層臺尚臨芳渚。露腳斜飛，虹腰欲斷，荷葉未收殘雨。添妝何處，試問取彫籠，雪衣分付。一鏡空濛，鴛鴦拂破白蘋去。

相傳內家結束，有帊裝孤穩，靴縫女古。冷艷全消，蒼苔玉匣，翻出十眉遺譜。人間朝暮。看胭粉亭西，幾堆塵土。祇有花鈴，綰風深夜語。

詞解　這首詞爲登臨弔古，以遼太后往事，抒發以古爲鑒之意：往日那六宮中美麗的皇后妃嬪早已消逝，誰又見到過呢？而今祇有這太液池畔高高的樓臺依稀尚存。雨腳斜飛，水漫拱橋，荷葉田田，殘雨瀟瀟，眼前是一片迷濛的景象。要問在何處添妝，祇有籠中的鸚鵡能夠回答。眼前祇有一片空濛碧水，鴛鴦遊蕩於白蘋之間。遼代宮中曾以玉飾首，以金飾足，而不再采用漢家宮中的妝束樣式。如今繁華落盡，玉匣生苔，從中翻出唐代的《十眉圖》。人間變換祇在朝夕之間。看那曾經的胭粉亭中已是塵土堆積，祇有護花鈴還搖曳在深夜的風雨之中。

譚獻篋中詞
逼真北宋慢詞

又　塞外七夕

白狼河北秋偏早，星橋又迎河鼓。清漏頻移，微雲欲濕，正是金風玉露。兩眉愁聚。待歸踏榆花，那時纔訴。只恐重逢，明明相視更無語。

人間別離無數。向瓜果筵前，碧天凝佇。連理千花，相思一葉，畢竟隨風何處。羈棲良苦。算未抵空房，冷香啼曙。今夜天孫，笑人愁似許。

詞解　這首詞詠七夕，作於第一次扈駕出巡塞外時，抒發了羈旅之苦：又是七夕之夜，白狼河的秋天來得格外早，又到了牛郎織女鵲橋相會的日子。時光流轉，濕雲微微，正是這秋風白露相逢的初秋時節。兩眉凝聚，鄉愁昇起，祇有等到踏上回家的路，纔能傾訴。祇怕相逢的時候，明明四目相對，卻仍舊相顧無言。人世間有別離無數，都在這七夕之夜，舉頭仰望碧天，遙寄相思。那連理枝、相思樹的誓言，如今都隨風飄向了何處？羈旅之苦，想來家中伊人同樣獨守空閨，相思成災，暗自垂淚。今夜天空的織女星，恐怕也要笑人間也有如此的離愁別苦！

瑞鶴仙　丙辰生日自壽。起用《彈指詞》句，並呈見陽

馬齒加長矣，枉碌碌乾坤，問汝何事。浮名總如水。判尊前杯酒，一生長醉。殘陽影裏，問歸鴻、歸來也未？且隨緣、去住無心，冷眼華亭鶴唳。

無寐。宿酲猶在。小玉來言，日高花睡。明月闌干，曾說與、應須記。是蛾眉便自、供人嫉妒，風雨飄殘花蕊。歎光陰、老我無能，長歌而已。

詞解　這首詞是作者二十二歲生日抒懷自壽之作：年齡又長了一歲，自問在這莽莽乾坤中，在這大千世界裏，徒自碌碌無爲，所營何事！這人世浮名如同流水，轉眼即逝。不如一醉方休，常睡不醒。夕陽西下，問天空鴻雁是否已經歸來？不如達觀處世，順其自然，對富貴功名之事須冷眼相看。心緒不佳唯有藉酒解憂，疏懶度日，日高不起。侍女說你我在月明憑軒之時，曾經共語人生，既是高標見妒，出衆的人才，便自然要遭人嫉妒，猶如那美麗的鮮花遭遇風雨的摧殘一樣。感歎時光蹉跎，一事無成，唯有長歌解憂。

雨霖鈴　種柳

橫塘如練。日遲簾幕，煙絲斜卷。卻從何處移得，章臺仿佛，乍舒嬌眼。恰帶一痕殘照，鎖黃昏庭院。斷腸處又惹相思，碧霧濛濛度雙燕。

回闌恰就輕陰轉。背風花不解春深淺。託根幸自天上，曾試把、《霓裳》舞徧。百尺垂垂，早是酒醒，鶯語如翦。只休隔夢裏紅樓，望個人兒見。

詞解　這首詞寫相思相憶的戀情：庭院裏，水塘邊，夕陽下的弱柳依依，如煙似霧。且問是從哪裏移來的，張開嬌眼，說是從章臺而來。此時夕陽殘照，仿佛鎖住了黃昏的庭院。成雙成對的燕子在青色的雲霧中飛來飛去，惹起了無盡的相思。輕雲隨回欄流轉，而背風的花朵不受風欺，不知春天的變化。幸而曾寄身於天上，已舞遍《霓裳羽衣曲》。酒醒之後，黃鶯宛轉，那百尺長條隨風飄搖，搖曳生姿。衹是不要在夢中出現在紅樓之上，看到的人會柔腸百轉。

書香傳家

疏影　芭蕉

湘簾卷處，甚離披翠影，繞檐遮住。小立吹裙，常伴春慵，掩映繡牀金縷。芳心一束渾難展，清淚裹、隔年愁聚。更夜深細聽、空階雨滴，夢回無據。

正是秋來寂寞，偏聲聲點點，助人離緒。纈被初寒，宿酒全醒，攪碎亂蛩雙杵。西風落盡梧桐葉，還賸得、綠陰如許。想玉人、和露折來，曾寫斷腸詩句。

詞解　這首詞藉詠芭蕉寓懷人之意：捲起竹簾，看到那搖動的芭蕉綠影婆娑，遮住了屋檐。伊人春日慵懶，晚起後小立風中，輕風吹起她的羅裙，繡牀金縷掩映。芭蕉芳心裹淚，如人心之愁聚。深夜側耳傾聽空階夜雨，愁緒使人難以成眠。本來正是秋來寂寞之時，偏又雨打芭蕉，聲聲助怨。錦被難以禦寒，宿醉已經全醒，耳邊傳來蟲鳴杵搗之聲，離愁於是更甚。秋風襲來，梧葉落盡，而芭蕉綠蔭依舊。和著露水被伊人折下，藉葉題詩，以寄相思離恨。

瀟湘雨　送西溟歸慈溪

按此調譜律不載，疑亦自度曲

長安一夜雨，便添了幾分秋色。奈此際蕭條，無端又聽、渭城風笛。咫尺層城留不住，久相忘、到此偏相憶。依依白露丹楓，漸行漸遠，天涯南北。

悽寂。黔婁當日事，總名士、如何消得？祇皂帽蹇驢，西風殘照，倦遊蹤跡。廿載江南猶落拓，歎一人知己終難覓。君須愛酒能詩，鑑湖無恙，一蓑一笠。

詞解　這首詞爲贈別之作，勸慰與不平並行：京城下了一夜的秋雨，更增添了幾分秋色。面對這秋色蕭條，正無奈之際，又沒來由地傳來了聲聲的別離之曲，這就更增添了離愁別恨。近在咫尺的高城卻無法將你留住，昔日你我共處時的優遊自得之樂，此後便成了令人思念的往事。你將漸行漸遠，從此你我天各一方。心中有無限淒涼孤寂。忽然想起當年黔婁的故事，即使是名士風流，又如何承受得了呢？從此兩袖清風，浪跡天涯。雖然你二十年來在江南負有盛名，但至今仍以疏狂而落落寡合，難逢知己。別後想必會更加且醉且歌，瀟脫不羈，獨釣於江湖之上。

詞人逸事　姜宸英，字西溟，擅詞章，工書畫。生性疏放，屢試不第。初以布衣薦修明史，與朱彝尊、嚴繩孫並稱「三布衣」。康熙三十六年（一六九七）中探花，授編修，年已七十。後因順天鄉試案被牽連而死於獄中。有《葦間詩集》《湛園未定稿》《湛園藏稿》等。其山水筆墨遒勁，氣味幽雅。楷書法虞世南、褚遂良、歐陽詢，以小楷爲第一。唯其書拘謹少變化。包世臣稱其行書能品上。兼精鑒，名重一時。家藏蘭亭石刻，至今搨本稱姜氏蘭亭。

納蘭性德與其相識很早，姜宸英回憶說：「君年十八九，舉禮部，當康熙之癸丑歲。未幾也，余與相見於其座主東海閣學士公（徐乾學）邸。」姜宸英生性豪邁疏狂，納蘭性德卻並不以其狂怪爲戒，且交遊甚厚，康熙十七、十八年留居西溟於府邸。二人詩詞往還，多唱和之作。

風流子　秋郊即事

平原草枯矣，重陽後，黃葉樹騷騷。記玉勒青絲，落花時節，曾逢

況周頤蕙風詞話意境雖不甚深風骨漸能騫舉視短調爲有進更進庶幾沉著矣

拾翠，忽憶吹簫。今來是、燒痕殘碧盡，霜影亂紅凋。秋水映空，寒煙如織，皂雕飛處，天慘雲高。

人生須行樂，君知否，容易兩鬢蕭蕭。自與東風作別，剗地無聊。算功名何似，等閑博得，短衣射虎，沽酒西郊。便向夕陽影裏，倚馬揮毫。

詞解　這首詞是詞人經邦濟世的抱負難以實現的慨歎：重陽節過後，平原上的草都枯萎了，黃葉在疾風中凋落。記得春日騎馬來此踏青時，多麼的意氣風發。如今故地重遊已是蕭瑟肅殺，空曠凋零。秋水映破長空，寒煙彌漫，蒼穹飛雕，一片蒼茫。人生在世，年華易逝，須及時行樂。春天過後，依舊心緒無聊。想想功名利祿算得了什麼，不若沽酒射獵，英姿勃發，在夕陽下揮毫潑墨那是何等暢快！

詞人逸事　納蘭性德並不僅僅是一位祇會感傷、吟風弄月的文弱書生。作爲滿人的後裔，八旗子弟在清初，還較多保留著善騎射、驍勇尚武的傳統習俗，納蘭性德作爲御前護衛更是不可能例外！韓菼說他「上馬馳獵，拓弓作霹靂聲，無不中」；徐乾學讚他「有文武才，每從獵射，鳥獸必命中」，可見其武功與身手。特別當他不在皇帝身邊時，沽酒射獵，的確是英姿勃發，神采飛揚。

納蘭性德在京西郊獵時有詞《風流子·秋郊即事》，正表明他血脈中仍有這種武士豪邁激情的湧動，盡管他終想回避塵寰鬧市，於寧靜淡泊中覓詩尋夢，盡管他詩詞有卿卿之情，不乏細膩精緻，但柔中不軟，悲中不頹。亦或有綿綿淒惋之致，卻不於同靡靡之音，更沒有扭捏之態。

沁園春

試望陰山，黯然銷魂，無言徘徊。見青峯幾簇，去天才尺；黃沙一片，匝地無埃。碎葉城荒，拂雲堆遠，彫外寒煙慘不開。踟躕久，忽冰崖轉石，萬壑驚雷。

窮邊自足秋懷。又何必平生多恨哉？祇淒涼絕塞，蛾眉遺冢；銷沉腐草，駿骨空臺。北轉河流，南橫斗柄，略點微霜鬢早衰。君不信，向西風回首，百事堪哀。

詞解　這首詞是康熙二十一年（一六八二）出使覘唆時所作，抒發了淒涼傷感之情：遙望蒼涼的陰山，不禁令人黯然神傷，徘徊不前。祇見那高高的山峯高聳入雲，接近天際，眼前黃沙遍地，卻不起一絲塵埃。那唐代的碎葉古城早已荒涼，拂雲堆也遙遠得看不見。唯見飛翔雲外的雕鷹和那寒煙茫茫、愁慘不散的荒漠景象。正徘徊不前之際，忽聽得山崖轟鳴，仿佛是巨石滾動，又像是萬丈深壑裏發出的驚雷隆隆。人生不必有多少遺恨纔能傷感，這荒涼邊塞看了已經讓人愁苦滿懷了！想到王昭君淒涼出塞，如今人已死去，但遺塚猶存；而那掩埋在荒漠野草中的，是當年燕昭王求賢所築的高臺。河水依然向北流去，北斗星柄仍是横斜向南。愁苦之人已經未老先衰。你若不相信，衹需要在秋風中回首往事，必定愁苦滿懷！

又

丁巳重陽前三日，夢亡婦淡妝素服，執手哽咽，語多不復能記。但臨別有云：「銜恨願為天上月，年年猶得向郎圓。」婦素未工詩，不知何以得此也，覺後感賦。

瞬息浮生，薄命如斯，低徊怎忘。自那番摧折。無衫不淚；幾年恩愛，有夢何妨。最苦啼鵑，頻催別鵠，贏得更闌哭一場。遺容在，只靈飈一轉，未許端詳。

重尋碧落茫茫。料短髮朝來定有霜。信人間天上，塵緣未斷；春花秋葉，觸緒堪傷。欲結綢繆，翻驚漂泊，兩處鴛鴦各自涼。真無奈，把聲聲檐雨，譜入愁鄉。

詞解　這首詞以記夢來寫悼亡：人生苦短，瞬息即逝，亡妻早逝命薄，縈繞往復怎能忘懷？經過命運的那番無情摧折，怎不叫人潸然淚下？你我幾年夫妻，夢到你又有何妨？衹可惜好夢不長，你仿佛被催促般匆匆離去，衹剩我獨自在這深夜痛哭流涕。你的遺容尚在，衹是飄忽不定，走得太過匆忙，我還尚未來得及仔細端詳。音容俱逝，天地茫茫，無處可尋，不勝淒愴，料想我清晨醒來後，必定已經愁白了短髮。但我相信你我雖天上人間，但塵緣並不會就此割斷，那春花秋葉都是觸動感傷的琴絃。想要與你永結同心，衹可惜人生無常，本是鴛鴦卻衹能兩處漂泊。耳畔傳來屋檐滴水的寥落聲響，將我的思緒帶入淒苦的憂愁之境，此情此景如何不叫人無奈感傷！

又　代悼亡

夢冷蘅蕪，卻望姍姍，是耶非耶？悵蘭膏漬粉，尚留犀合；金泥蹙繡，空掩蟬紗。影弱難持，緣深暫隔，只當離愁滯海涯。歸來也，趁星前月底，魂在梨花。

鸞膠縱續琵琶。問可及當年萼綠華？但無端摧折，惡經風浪；不如零落，判委塵沙。最憶相看，嬌訛道字，手翦銀燈自潑茶。今已矣，便帳中重見，那似伊家。

詞解　這首詞爲悼亡愛妻之作：蘅蕪裊裊，似夢非夢，看到你步履輕緩，從容不迫地姍姍走來，這景象是真是幻？眼前你潤髮用的香油，粉盒中殘存的香粉，依舊在妝奩中靜靜地躺著；裝飾用的金屑和沒有繡完的繡品還放在那裏。面對著這些你曾用過的東西，睹物思人，怎能不悵然心傷？真希望我們不是天人永隔，滯留天涯。你忽然回到我身邊，趁著這明月星空，在曾經相約的梨花樹下與我相見。縱然是續娶了後妻，又怎麼能與你相比呢？如今讓我無端經受這樣的打擊，如塵沙般孤獨零落。最令人傷神追憶的是你讀錯了字的嬌柔之聲，和那翦去燈芯、賭氣潑茶的柔媚之態。如今一切美好都已結束，即使再次相見，也不是當時的樣子了。

詞人逸事　納蘭性德性格落拓無羈，秉賦超逸脫俗，才華出衆，與他出身豪門，鐘鳴鼎食，入值宮禁，金階玉堂的前程，構成一種常人難以體察的矛盾感受和心理壓抑。再加上愛妻早亡，後續難圓舊夢，以及摯友聚散，內心深處的困惑與悲觀是難以釋懷的。對仕途的厭倦和不屑，使他對凡能輕取的身外之物無心一顧，對求之卻不能長久的愛情，對心與境合的自然和諧狀態，卻流連嚮往。

康熙二十四年（一六八五）暮春，納蘭性德抱病與好友一聚、一醉、一詠三歎，然後便一病不起，七日後溘然而逝。病時，康熙曾派人探望並送御藥，聞其亡故之訊，爲之惋惜。納蘭性德的業師徐乾學爲其撰寫墓誌銘、神道碑。納蘭性德葬於京西皂甲屯納蘭祖塋，帶著無限的愛與永遠十九歲的嬌妻盧氏合葬於山明水秀之境，從此相依相伴、永不分離。

金縷曲　贈梁汾

德也狂生耳。偶然間、淄塵京國，烏衣門第。有酒惟澆趙州土，誰

謝章鋌賭棋山莊詞話：今讀容若後生緣恐結他生裏句山陽聞笛愈增腹痛矣

會成生此意。不信道、竟逢知己。青眼高歌俱未老，向尊前、拭盡英雄淚。君不見，月如水。

共君此夜須沉醉。且由他、蛾眉謠諑，古今同忌。身世悠悠何足問，冷笑置之而已。尋思起、從頭翻悔。一日心期千劫在，後身緣、恐結他生裏。然諾重，君須記。

詞解　這首詞是詞人與顧貞觀相識不久時的題贈之作，表達了誠摯的友情：我天生痴狂，生長在豪門望族之家，又在京城裏供職，這一切實屬偶然。我仰慕平原君的人品，並有平原君那樣禮賢下士、喜好交友的品格，但如此的性格又有誰能理解？你我結爲莫逆之交，彼此青眼相對，互相器重，而今正當大有可爲之年，不須傷悲，應拭去悲慨之淚，振作精神。看那月色如水，照徹晴空。今夜就讓你我一醉方休。姑且由那些小人去造謠中傷，要知道這種卑鄙的事自古以來就是這樣。身世地位有什麼可在意的，衹需冷笑置之罷了！你我一日心期相許，成爲知己，即使橫遭千劫，情誼也會長存的，但願來生你我還有交契的因緣。重信守諾，千萬不要忘記今天誓言！

詞評　歲丙辰，容若年二十有二，乃一見即恨識余之晚，閱數日，塡此曲爲余題照。極感其意，而私訝他生再結語殊不祥，何意竟爲乙丑五月之讖也。傷哉。

——顧貞觀《彈指詞》

詞旨嵚崎磊落，不啻坡老、稼軒，都下競相傳寫，於是教坊歌曲無間不知有側帽者。

——徐釚《詞苑叢談》

金粟顧梁汾舍人，風神俊朗，大似過江人物。無錫嚴蓀友詩：「瞳瞳曉日鳳城開，纔是仙郎下直回。絳蠟未消封詔罷，滿身淸露落宮槐。」其標格如許。

——馮金伯《詞苑萃編》

這首慢詞，贈顧貞觀，風格便與貞觀的《金縷曲》二首相近。爲自己寫照，也爲其交友寫照，中間又交錯著對蛾眉謠諑的感歎，歇拍云「重然諾，君須記」。可以參證性德身任救吳漢槎入關一事。讀此令人增風誼之重。徐釚《詞苑叢談》云：「詞旨嵚崎磊落，不啻坡老、稼軒，都下競相傳寫。」

——錢仲聯《清詞三百首》

詞人逸事　這首詞作於康熙十五年（一六七六），納蘭性德此年獲殿試二甲七名，賜進士出身，並授三等侍衛，不久又晉爲一等。據顧貞觀記云：「歲丙辰，容若年二十有二，乃一見即恨識餘之晚，閱數日，塡此曲爲余題照。」

納蘭性德以貴冑公子、皇帝近侍的身份與沉居下僚的顧貞觀相識，不但大有相見恨晚之歎，且對其不幸的遭遇深表同情。兩人遂成爲生死之交，直到納蘭性德去世，這份情意也沒有斷絕。《炙硯瑣談》提到，納蘭性德爲顧貞觀題照「一日心期千劫在，後身緣、恐結他生裏。然諾重，君須記。」顧貞觀答詞亦有「託結來生休悔」之語。等到納蘭性德去世後，顧貞觀回到故里，一天晚上夢到納蘭性德對他說：「文章知己，念不去懷。泡影石光，願尋息壤。」當天夜裏，其妻生了個兒子，顧貞觀就近一看，發現長得跟納蘭性德一模一樣，知道是其再世，心中非常高興。一月後，再次夢到納蘭性德與自己作別。醒來後連忙詢問別人，聽說孩子已經夭折。這段傳說足見兩人友情的深厚和生死不渝。

又　再贈梁汾，用秋水軒舊韻

酒涴青衫卷，盡從前、風流京兆，閒情未遣。江左知名今廿載，枯樹淚痕休泫。搖落盡、玉蛾金繭。多少殷勤紅葉句，御溝深、不似天河淺。空省識，畫圖展。

高才自古難通顯。枉教他、堵墻落筆，凌雲書扁。入洛遊梁重到處，駭看村莊吠犬。獨憔悴、斯人不免。衮衮門前題鳳客，竟居然、潤色朝家典。憑觸忌，舌難翦。

詞解　這首詞是詞人用秋水軒舊韻表現自己的心志之作：一杯濁酒，淚濕青衫，從前在京兆的秋水軒唱和的風雅之事，閑情尚未排遣。你的名聲在江南已經有二十多年了，卻仍像庾信那樣傷感流淚。你的才華如同白雪盈滿天空，煙火燦爛散落。衹是在朝爲官比登天還難，朝廷對於人才並不是真的重用，所以才華難以施展，枉費了你堵牆凌雲的曠世才華。仕途坎坷，志向難酬，於是難免斯人憔悴。才華卓越，橫空出世的風流人物居然衹能爲朝廷粉飾太平，怎不叫人憤懣。縱然對朝廷有犯忌之論，以至招災惹禍，但仍不改剛正不阿的本性。

詞人逸事 關於秋水軒韻出處，必須追溯到明末清初的一次文壇活動。秋水軒本是明末孫承澤的別墅，位於京城西南隅，有江湖曠朗之勝。清初周亮工之子周在浚居京，孫氏藉別墅給他入住。康熙十年（一六七二）秋，周在浚自爲座主，主持一個大型唱和活動。參加者有二十多家，由曹爾堪開題首唱，填了一首銑韻《賀新郎》。龔孝升響應，今閱《定山堂集》，他先後填了二十三首，可謂洋洋大觀了。且皆以「捲」字韻起，以「翦」字韻止。於是海內名士勝流，風起雲涌般紛紛競填此調，你寄我，我寄你，郵筒爲之堆積如山。可見這次詞壇盛事，波瀾萬頃。其後輯爲《秋水軒唱和詞》。

納蘭此篇即用其韻而成。

又 再用秋水軒舊韻

疏影臨書卷。帶霜華、高高下下，粉脂都遣。別是幽情嫌嫵媚，紅燭啼痕休泫。趁皓月、光浮冰繭。恰與花神供寫照，任潑來、澹墨無深淺。持素障，夜中展。

殘釭掩過看逾顯。相對處、芙蓉玉綻，鶴翎銀扁。但得白衣時慰藉，一任浮雲蒼犬。塵土隔、軟紅偷免。簾幕西風人不寐，恁清光、肯惜鷫裘典。休便把，落英翦。

詞解 這首詞藉月夜梅花抒發悲涼惆悵之情：梅花疏朗的影子落在了書卷上。那花瓣帶著霜華，高高低低，看不到一點粉紅的顏色。不須紅燭滴淚照明，別是一種幽情和嫵媚。明月當空，朵朵梅花如同潔白的蠶繭。恰好這梅花之形與其神相映照，仿佛隨意畫出的淡墨寫意，這美好的圖畫就好像是在夜間展開的一幅出神入化的幛子。將殘燈遮起，再看那梅影就更清晰動人。就像剛剛綻開的玉芙蓉，處處是銀白色的花瓣。衹要擁有這白色精靈時時來慰藉我，哪裏還需要去管什麼世事無常，風雲變幻？塵世污濁，一切繁華都如過眼雲煙。想及此，無限惆悵，站在簾下的晚風之中不能入睡。清光之下寧願將這稀世的鷫裘典當來換取梅花不落，永遠相伴。

又

生怕芳樽滿。到更深、迷離醉影，殘燈相伴。依舊回廊新月在，不定竹聲撩亂。問愁與、春宵長短。燕子樓空絃索冷，任梨花、落盡無人管。誰領略，真真喚。

此情擬倩東風浣。奈吹來、餘香病酒，旋添一半。惜別江淹消瘦了，怎奈輕寒輕暖。憶絮語、縱橫茗盌。滴滴西窗紅蠟淚，那時腸、早爲而今斷。任角枕，欹孤館。

詞解 這首詞爲懷友之作：入夜起相思，酒不但不能排解愁情，而且衹有孤燈相伴，惆悵反而更勝。當時相聚的景象依然，但人已經分離。愁情綿綿不絕，比這春宵還要更長。紅花落盡，花枝蕭疏，這花仿佛也是孤獨寂寞，但是此時的人又比這疏花還要寂寞。唯有夢裏纔可與你相見。請東風消愁不但消不得，反倒是添愁添恨了。本已爲離別而瘦損，如今又偏逢這乍暖還寒的時節，於是就更令人生愁添恨了。當年我們一邊品茶，一邊低聲說話，議論縱橫。分別時西窗蠟滴紅淚，這記憶如今想起，更使人傷心腸斷。獨自寄寓在孤獨寂寞的會館中，更感四周冷靜淒清。

又 簡梁汾，詩方爲吳漢槎作歸計

灑盡無端淚。莫因他、瓊樓寂寞，誤來人世。信道癡兒多厚福，誰遣偏生明慧。莫更著、浮名相累。仕宦何妨如斷梗，衹那將、聲影供群吠。天欲問，且休矣。

情深我自拚憔悴。轉丁寧、香憐易爇，玉憐輕碎。羡煞軟紅塵裏客，一味醉生夢死。歌與哭、任猜何意。絕塞生還吳季子，算眼前、此外皆閒事。知我者，梁汾耳。

詞解 這首詞是寫給好友顧貞觀的，抒發自己的擔憂和對現實的不滿：仕宦不利，命多乖舛，未得朝廷重用，錯來人世一遭。終於相信了痴兒多厚福的說法，可老天爲何還要生出那麼聰明的人來呢。不要再爲世上的浮名所累。仕途爲官如同斷梗，漂泊無定，本算不得什麼，衹有那些誣陷和中傷如同群犬吠聲，又無法辯誣之事，纔是令人悲哀的。還是不要問那麼多了！我這裏對你深情思念，以致形容憔悴，但也心甘情願。且聽我說，香草易於點燃，美玉易於破碎，忠良之士易受侵害。多麼羨慕那些醉生夢死的凡夫俗子，他們哪有那麼多的煩惱。眼前最重要的事是吳漢槎自邊塞寧古塔歸來，其他的都是等閑小事，我自傾盡全力！能明白我的人，也衹有你顧梁汾了。

詞人逸事 納蘭性德爲人至情至性，對朋友更是肝膽相照，即使是對從來沒有見過面的吳兆騫也是全力幫助，不求回報。

吳兆騫，字漢槎，吳江人，江南才子，爲「江左三鳳」之一。吳兆騫爲顧貞觀好友，爲人恃才傲物，落拓不羈。順治十四年（一六五七），以丁酉科場案被告發「舞弊」，翌年三月於京師復試，因清高不願受辱而拒不參加，後被清廷降罪，發配至黑龍江寧古塔充軍，二十餘年不得赦歸。好友顧貞觀全力營救，無奈奔波十餘年都沒有成功。後在京認識納蘭性德，一日作《金縷曲》二首，寄吳兆騫，被納蘭性德看到，大爲感動，認爲西漢蘇武和李陵的贈答詩、西晉向秀的《思舊賦》及顧貞觀這兩首以書信形式填的詞，堪稱文壇三件極品，並決心營救。

納蘭性德經過五年的努力，最後託身爲宰相的父親明珠幫助，使吳兆騫結束了流放生涯。之後又感到吳兆騫久經風霜，擔心他衣食有憂，於是在他回京後便聘其爲館師，教授其弟學業。一六八四年十月，吳兆騫病故，納蘭性德回京後，親自爲他操辦喪事，出資送其靈柩回吳江。他對朋友可謂是仁至義盡，有始有終，而「生館死殯」的俠義行爲也被後世傳誦爲友誼的楷模。

又　慰西溟

何事添悽咽？但由他、天公簸弄，莫教磨涅。失意每多如意少，終古幾人稱屈。須知道、福因才折。獨臥藜牀看北斗，背高城、玉笛吹成血。聽譙鼓，二更徹。

丈夫未肯因人熱，且乘閒、五湖料理，扁舟一葉。淚似秋霖揮不盡，灑向野田黃蝶。須不羨、承明班列。馬跡車塵忙未了，任西風、吹冷長安月。又蕭寺，花如雪。

詞解 這首詞是詞人於康熙十八年（一六七九）安慰姜西溟落選而作：爲了什麼哽咽哭泣呢？既然命運不濟，試而不第，那就放開胸懷，任老天爺擺弄，總不能因此而折磨自己。人世間的事本來就是失意的比如意的多，自古以來都是這樣。要知道是因爲自己才氣太高，福氣纔會減損啊。不若遠離繁華鬧市，歸隱山林，獨自高眠，卧看北斗七星，吹笛自樂，聽更鼓報夜。大丈夫不要因求仕不得而急躁。雖求官不成，但正好學范蠡，泛遊五湖，消閑隱居，怡然自得。縱有傷情之淚，亦當灑向知己者。不要羨慕那些位列朝堂的人，那些京城裏的袞袞諸公終日爲仕途而忙於奔走，不如以達觀處之，任那些得意人兒去奔忙吧！自己閑看蕭寺中鮮花盛開，如雪般散落！

詞評 「慨然長歎，勸慰中透不平」，「殊有風鳴萬竅、怒濤狂捲的氣韻。決不是自縛於南唐一家者所能出手的，至於神虛情贗的工匠們更是難加問津。」

——嚴迪昌《清詞史》

又 西溟言别，賦此贈之

誰復留君住？歎人生、幾番離合，便成遲暮。最憶西窗同翦燭，卻話家山夜雨。不道祇暫時相聚。滚滚長江蕭蕭木，送遥天、白雁哀鳴去。黄葉下，秋如許。

曰歸因甚添愁緒。料强似、冷煙寒月，棲遲梵宇。一事傷心君落魄，兩鬢飄蕭未遇。有解憶、長安兒女。裘敝入門空太息，信古來才命真相負。身世恨，共誰語？

詞解 這首詞爲贈别之作：誰還能將你留住呢？感歎人生無常，幾經離合，便到了年老之時。還記得我們秉燭夜談、閑話夜雨的情景。卻不知道那祇是短暫的相聚，没想到你這麽快又要離去。在這深秋的季節獨自上路，看滚滚長江，無邊落木，大雁哀鳴的蒼涼之景。黄葉遍地，秋意正濃，離愁更濃！爲什麽回家還要如此難過呢？怎麽也比這冷煙寒月的佛寺要强得多啊。祇是因爲已經兩鬢斑駁卻仕途不濟而傷心落魄。家中尚有思念你、盼望你歸來的小兒女，你卻因不第而歸，空自歎息。自古以來都是天妒英才，賢人大都懷才不遇！這難以平復的身世之恨，又能對誰傾訴呢？

又　寄梁汾

木落吳江矣。正蕭條、西風南雁，碧雲千里。落魄江湖還載酒，一種悲涼滋味。重回首、莫彈酸淚。不是天公教棄置，是南華、誤卻方城尉。飄泊處，誰相慰？　別來我亦傷孤寄。更那堪、冰霜摧折，壯懷都廢。天遠難窮勞望眼，欲上高樓還已。君莫恨、埋愁無地。秋雨秋花關塞冷，且殷勤、好作加餐計。人豈得，長無謂。

詞解　這首詞以詞代簡表達對好友的思念，傾訴心中的不平：你那裏也應該是落葉時節了吧？正是寂寞蕭瑟，北雁南飛，千里碧雲的深秋景色。你如今南歸與當日杜牧失意揚州的悲涼景況相仿。回首往事，不要流下辛酸之淚。並非老天要將你棄置不管，是因你滿腹的才華太盛而耽誤了自己。如今漂泊江湖，誰能給你帶來安慰呢？自從離別之後，我也孤獨寂寞，寄遊他鄉，更加上寒冷孤寂，壯志難酬。於是對你的思念更甚，望眼欲穿，無奈天高地遠無法如願。你不要憤恨難過，如果無處宣泄，那就對我傾訴吧。我在塞外，此處天寒地凍，你也要記得照顧好自己。人生固然失意很多，但哪能永遠都無所作爲呢？

又　亡婦忌日有感

此恨何時已。滴空階、寒更雨歇，葬花天氣。三載悠悠魂夢杳，是夢久應醒矣。料也覺、人間無味。不及夜臺塵土隔，冷清清、一片埋愁地。釵鈿約，竟拋棄。　重泉若有雙魚寄。好知他、年來苦樂，與誰相倚。我自終宵成轉側，忍聽湘絃重理。待結個、他生知己。還怕兩人都薄命，再緣慳、剩月零風裏。清淚盡，紙灰起。

詞解　這首詞爲悼念亡妻之作：這滿腔愁緒什麼時候纔能停止呢？空階滴雨，寒夜無眠，又到了落花的季節，你的忌日也來到了。三年的魂牽夢繞，揮不去你的記憶，如果是夢的話，那早就應該醒了。想來這人間也沒什麼意思，不如那墳墓冷冷清清能將閑愁都埋葬。你長眠地下，原來的海誓山盟，如今全都拋棄了！那黃泉如果能通書信，也好知道這些年來的苦樂哀思與誰一起相伴度過。我深夜不寐，輾轉反側，不忍再彈那哀怨淒婉的琴絃。想要和你在來生相聚，又怕我們兩個人的命薄，美好的光景、美好的情緣不能長久。如今淚已流盡，但願這紙灰飛舞捎去我對你的思念。

又

未得長無謂。竟須將、銀河親挽，普天一洗。麟閣才教留粉本，大笑拂衣歸矣。如斯者、古今能幾？有限好春無限恨，沒來由、短盡英雄氣。暫覓個，柔鄉避。　東君輕薄知何意。盡年年、愁紅慘綠，添人憔悴。兩鬢飄蕭容易白，錯把韶華虛費。便決計、疏狂休悔。但有玉人常照眼，向名花、美酒拚沉醉。天下事，公等在。

詞解　這首詞表達仕途失意，詞風沉鬱雄勃：追求的理想總是不能實現，這世事不公，確實需要挽來天河，將天空洗淨，令世道清明。朝廷要重用之時，卻大笑辭受，拂衣而去了。像這樣的壯舉，古來能有幾人？美好的春光總是有限，然而遺恨是無限的。不由得讓英雄氣短。於是去找溫柔鄉不問世事。春天總是無情無義，年年都要弄得落紅滿地，讓人平添愁緒。人生本來苦短，卻又把大好的時光都浪費了。於是下定決心，不爲自己的疏狂而後悔。有佳人常伴，有美酒常醉。至於天下的事，就由你們去處理吧！

詞人逸事　納蘭性德文武全才，天生才情出衆，抱負滿懷。再加上初入仕途時正遇上三藩之亂，他報效國家、青史留名的願望被激起。然而當他請命上戰場殺敵，卻沒有得到君、父的贊同，大有壯志難酬，前途渺茫之感。於是在《金縷曲》中他這樣寫道：「竟須將，銀河親挽，普天一洗。」這是何等的豪放！堪與蘇東坡的「會挽雕弓如滿月，西北望，射天狼」一較高下。衹是這種豪氣始終沒有兌現在親歷親爲的實踐中。納蘭性德衹有把這一氣吞山河的胸懷消磨在仕途官場上，不能建功立業，衹能虛度年華，人也變得惆悵消極。

摸魚兒　午日雨眺

漲痕添半篙柔綠，蒲梢荇葉無數。空濛臺榭煙絲暗，白鳥銜魚欲舞。橋外路。正一派、畫船簫鼓中流住。嘔啞柔櫓，又早拂新荷，沿堤忽轉，衝破翠錢雨。　蒹葭渚，不減瀟湘深處。霏霏漠漠如霧。

滴成一片鮫人淚，也似汨羅投賦。愁難譜。祇綵綫、香菰脈脈成千古。傷心莫語，記那日旗亭，水嬉散盡，中酒阻風去。

詞解 這首詞寫端午節雨中遠眺生情：端午時節，春水漲池，水草豐茂碧綠。煙雨空濛，樓臺掩映，白鳥銜魚起舞。橋外水路上，一派畫船歌舞，槳聲「嘔啞」的春景圖。荷葉新綠，船槳在岸邊忽然轉過，剗破了這一池的碧綠。湖面的小島，風情不比湘江美景遜色。細雨霏霏，如煙似霧，化爲鮫人的眼淚，滴成珍珠，又仿佛是將詩賦投入汨羅江中所濺起的。而此際閑愁難以述說，祇有憑藉用綵綫纏裹的粽子投入江中，以示這千古的哀思了。記得當初我們在這端午之日的酒樓上，潑水嬉戲，酒醉興盡而去的情景，回想起此，不由傷心滿懷，祇有低頭不語了。

又 送別德清蔡夫子

問人生頭白京國，算來何事消得。不如罨畫清溪上，蓑笠扁舟一隻。人不識。且笑煮鱸魚，趁著蓴絲碧。無端酸鼻。向歧路銷魂，征輪驛騎，斷雁西風急。英雄輩，事業東西南北。臨風因甚成

葭川獨泛

泣？酬知有願頻揮手，零雨淒其此日。休太息。須信道、諸公袞袞皆虛擲。年來蹤跡。有多少雄心，幾番惡夢，淚點霜華織。

詞解 這首詞爲送別之作，慰藉的同時抒發不平：人生在世，到底有何事值得在京城裏熬白了頭髮？不如歸隱江湖，知足保和，閑適自樂。事出無端，令人悲痛欲泣，在這臨分別的時刻，又偏是西風淒緊，孤雁南飛。英雄之輩，無論身處天南地北都能成就事業。當此臨歧分別之日，正細雨濛濛，唯有頻頻揮手以酬知己。千萬不要唉聲歎氣，要知道那些袞袞諸公看起來雖然很得意，但其所得不過是身外浮名，虛擲歲月。世間有多少英雄人物都是經歷了幾番風雨，幾經磨礪，嘗盡辛酸的！

詞人逸事 蔡啓僔，字昆暘，號石公，德清人。幼年去京，隨任吏部侍郎、東閣大學士的父親讀書。詩宗王維、孟浩然；書法頗得顏真卿真諦，凡所讀書，皆小楷抄錄。著作有《燕遊草》《存園集》。淸康熙九年（一六七〇）進士，欽點爲狀元，充任日講官。關於蔡啓僔中狀元前後還有一段趣事：

康熙八年（一六六九），蔡啓僔作爲浙江湖州府舉子進京會試，途經淮安府山陽縣，山陽縣令是他的鄉試同年。他到縣衙投了名刺，準備拜訪。門房見他破帽舊衣，其貌不揚，但名刺上寫著「舉人某某」，不便梗阻，還是進去通報。山陽縣令知其出身貧寒，以爲是來打秋風的，在名刺上批了四個字：「查明回報」。門房心領神會：縣太尊不願見，但不便直接回絕。於是他來了一番仔細盤查，恨不得把蔡某人的祖宗八代都問一遍。蔡啓僔勃然大怒，拂袖而去。第二年庚戌科會試，蔡啓僔大魁天下，中了狀元，山陽縣令這纔知道得罪了貴人，趕緊修書一封，附上一份厚禮，想修彌前非。蔡啓僔並不領情，在禮貼上批了二十八個字：「一肩行李上長安，風雪誰憐范叔寒？寄語山陽賢令尹，查明須向榜頭看。」其輕狂和才情由此可見一斑。

康熙十年（一六七一）辛亥納蘭性德舉順天鄉試。時徐乾學與蔡啓僔爲主考官。十一年（一六七二），爲順天（今北京）鄉試主考官，號稱知人，但徐、蔡二人以「副榜未取漢軍卷」而被削職。康熙十二年（一六七三）癸丑，這位受了不白之冤的名士被迫回歸故里，作爲弟子的納蘭性德填此詞以示同情和寬慰。

憶桃源慢

斜倚熏籠，隔簾寒徹，徹夜寒如水。離魂何處，一片月明千里。兩地淒涼，多少恨，分付藥爐煙細。近來情緒，非關病酒，如何擁鼻長如醉。轉尋思不如睡也，看道夜深怎睡。　幾年消息浮沉，把朱顏頓成憔悴。紙窗淅瀝，寒到個人衾被。篆字香消燈灺冷，不算淒涼滋味。加餐千萬，寄聲珍重，而今始會當時意。早催人一更更漏，殘雪月華滿地。

詞解　這首詞爲塞上思親、念友之作：斜倚在熏籠邊上，寒氣透過簾子襲進來，徹夜如冰水般寒冷。遠遊他鄉的人身在何處，衹在明月千里之外。天各一方，兩地相思，都交付給了這藥爐細煙。近來極壞的情緒不是由於飲酒太多，又怎能暗自吟詠，仿佛酒後沉醉呢！輾轉尋思還不如早早睡去，否則到了深夜更無法入睡。幾年來你的消息斷斷續續，沉浮不

定，把相思的人兒都折磨得形影消瘦了。窗外風雨聲淅瀝，屋內人單衾薄寒冷。篆字形的香都燃盡了，燈燭的餘燼也變得淒冷了。千萬要記得照顧好自己，寄去一聲珍重，如今纔能體會到你當時的心意。更漏一遍遍催人入睡，窗外此時已是月光遍地了。

湘靈鼓瑟

按此調譜律不載，疑亦自度曲。一本作翦梧桐

新睡覺，聽漏盡烏啼欲曉。屏側墜釵扶不起，淚浥餘悄悄。任百種思量都來，擁枕薄衾顛倒。土木形骸，自甘憔悴，衹平白占依懷抱。看蕭蕭一翦梧桐，此日秋光應到。　若不是憂能傷人，怎青鏡朱顏易老。慧業重來偏命薄，悔不夢中過了。憶少日清狂，花間馬上，軟風斜照。端的而今，誤因疏起，却懊惱誤人人少。料應他此際閑眠，一樣百愁難掃。

詞解　這首詞以賦法鋪叙，表達幽婉的深意：剛剛睡醒，聽到漏聲斷絕，烏鴉啼鳴，天快要亮了。病身難起，不勝愁苦，默默無語，淚痕未消。任

謝章鋌賭棋山莊詞話念念以來生相訂交情至此非金石所能比堅

各種愁緒都來侵襲，衹在這衾枕間顛倒輾轉，揮之不去。不扭捏造作，而自甘憔悴，衹是爲了得到你的溫暖寵愛。看那秋風將梧桐吹落，便知道秋天已經到了。如果不是憂愁能夠傷人，那麼鏡子裏面的容顏怎麼會日漸衰老？記得當初年少輕狂，花間馬上，意氣風發。如今憔悴，疏懶落寞，卻怪被愁悶困擾耽誤了大好年華，料想他此刻也一樣閑來寂寞，愁緒難平吧！

大酺　寄梁汾

怎一爐煙，一窗月，斷送朱顏如許。韶華猶在眼，怪無端吹上，幾分塵土。手撚殘枝，沉吟往事，渾似前生無據。鱗鴻憑誰寄，想天涯隻影，淒風苦雨。便砑損吳綾，啼沾蜀紙，有誰同賦。當時不是錯，好花月、合受天公妒。衹索倩、春歸燕子，說與從頭，爭教他、會人言語。萬一離魂遇，偏夢被、冷香縈住。剛聽得、城頭鼓。相思何益？待把來生祝取，慧業相同一處。

詞解　這首詞是梁汾母喪南歸後，詞人對其的思念之作：每日孤獨地面對爐中香煙、窗前明月度過無聊的時光，送走了美好的年華。美好的春

光還在眼前，卻無端被蒙上了幾分塵埃。手捻著凋落的花枝，思懷往日交遊之事，禁受這彷佛是前生注定的別離之苦。音書杳渺，想你在天涯之外形單影隻，獨自承受這淒風冷雨。就算是把綾紙寫遍，淚灑相思，但又能與誰人共賦呢！在花好月圓的時候，你我共度，連老天爺也生出了妒忌。會人言語的燕子歸來，這便更惹人生起對往日的懷念。夢中與你相遇，這美夢卻偏偏又如此冷清寂寞。耳畔傳來城頭更鼓的聲音，夢醒之後再難成眠。相思之情日益增加，於是祈禱來生還能夠與你相逢相知，共在一處。

調笑令

明月，明月。曾照個人離別。玉壺紅淚相偎，還似當年夜來。來夜，來夜。肯把清輝重藉？

詞解　明月啊明月，你曾經照著那人的離別。如今美人流著眼淚與我相依相偎，就像當初的夜晚一樣。夜啊夜，能不能將當初皎潔的月光再重新借給我，讓我回到從前呢？

滿宮花

盼天涯，芳訊絕。莫是故情全歇？朦朧寒月影微黃，情更薄於寒月。　麝煙銷，蘭燼滅。多少怨眉愁睫。芙蓉蓮子待分明，莫向暗中磨折。

詞解 這首詞寫無可奈何的思念之情：遠在天涯的人音信全無，難道是他將舊情都忘了嗎？天空的寒月透出淡黃色的影子，沒想到他的情意卻比寒月更加涼薄。爐中的香煙已經消滅，蠟燭的餘燼也將燃盡，衹有愁苦卻越來越多。芙蓉和蓮子要分得清楚，就不要問暗地裏經受了多少時間的折磨。

少年遊

算來好景只如斯。惟許有情知。尋常風月，等閑談笑，稱意即相宜。　十年青鳥音塵斷，往事不勝思。一鈎殘照，半簾飛絮，總是惱人時。

詞解 這首詞表達愛情失敗的痛苦：算起來人間好景也不過如此，衹

有有情的人纔能明白。普通的景色，平常的談笑風生，衹要合乎心意就是相得益彰的。十年來音書全斷，往事已是不堪回首。衹是那一彎殘月和滿眼飛絮，總是惹起人的無限惆悵。

茶瓶兒

楊花糝徑櫻桃落。綠陰下晴波燕掠。好景成擔閣。秋千背倚，風態宛如昨。　可惜春來總蕭索。人瘦損紙鳶風惡。多少芳箋約，青鸞去也，誰與勸孤酌？

詞解 這首詞寫離愁別怨：楊花落滿了小徑，櫻桃花也凋謝了，燕子掠過綠蔭之下的水面。這春日的美景又被相思給耽擱了。空剩下寂寞的秋千，風姿與昨天沒有什麼差別。可惜自從春天來後一切都寂寞蕭索，形影如同風中的紙鳶般消瘦。曾經有多少的約定，都沒有完成，如今人去樓空，誰來勸慰我這獨酌的苦悶心情？

望江南　詠絃月

初八月，半鏡上青霄。斜倚畫闌嬌不語，暗移梅影過紅橋，裙帶

北風飄。

詞解 這首詞吟詠上弦月：初八的上弦之月，猶如空中高懸半個明鏡。伊人倚欄嬌媚不語，默默地看著月移梅影過紅橋的美景，一任涼風吹起裙帶。

明月棹孤舟　海淀

一片亭亭空凝佇。趁西風、霓裳徧舞。白鳥驚飛，菰蒲葉亂，斷續浣紗人語。　丹碧駁殘秋夜雨。風吹去采菱越女。轆轤聲斷，昏鴉欲起，多少博山情緒？

詞解 這首詞寫海淀之景：水淀中一片亭亭玉立的荷花，西風吹來，田田搖曳，仿佛是美麗的少女跳著動人的《霓裳羽衣舞》。白鶴驚起，水草繚亂，斷斷續續傳來浣紗人的說話聲。荷花在秋風夜雨中凋殘，西風吹來采菱越女的歌聲。黃昏，轆轤汲水的聲音已經聽不到了，烏鴉飛起，博山爐煙裊裊，如同人闌珊的情緒。

詞人逸事 納蘭家的別墅在今北京西北郊的海淀，如今圓明園的長春

園遺址上曾是納蘭性德生活的地方。如今早已荒蕪。而附近翠湖旁的皂甲屯則埋葬著這位多情的詞人。

皂甲屯清代叫「皂莢屯」，是納蘭家在滿族進關後的封地，並作為家族墳地先後埋葬了納蘭家五代二十一人，當時墓地蔚為壯觀，人稱「京西小十三陵」。納蘭性德去世時年僅三十一歲，也葬入這裏，有二十世紀七十年代初出土的納蘭墓誌為證。然而歷史變遷，滄海桑田，如今這片土地已找不到當年墓地的絲毫遺跡了，滿懷納蘭公子「風流休數鴛鴦社，衹是傷心皂莢屯」的追憶卻找不到可以憑弔的地方。

望海潮　寶珠洞

漢陵風雨，寒煙衰草，江山滿目興亡。白日空山，夜深清唄，算來別是淒涼。往事最堪傷，想銅駝巷陌，金谷風光。幾處離宮，至今童子牧牛羊。　荒沙一片茫茫，有桑乾一綫，雪冷雕翔。一道炊煙，三分夢雨，忍看林表斜陽。歸雁兩三行，見亂雲低水，鐵騎荒岡。僧飯黃昏，松門涼月拂衣裳。

詞解 這首詞寫在寶珠洞遠眺的風光和感懷：荒涼的墳墓歷經風雨，衹剩寒煙衰草一片，滿目興亡事躍然眼前。這白日下的空山，夜深後的誦經聲，平添了無限淒涼。最令人傷心惆悵的是，往日的繁華早已消失殆盡，一去不返了。曾經的離宮遍生荒草，成爲放牧牛羊之所。茫茫黃沙，河流一綫，雪冷雕翔。一道炊煙，夜雨紛紛，一片空曠寥落，使人不忍看林外夕陽。天空鴻雁飛過一片亂雲，曾經金戈鐵馬的戰場如今成爲荒岡。寺廟裏的黃昏分外淒清，冷月清風，衹剩下一片蒼茫寂寞。

詞人逸事 納蘭性德曾隨康熙幸遊北京西山八大處寶珠洞。他扈從康熙憑高遠望，寫下這篇《望海潮・寶珠洞》。

寶珠洞位於八大處的最高一處，站在平坡山巔寶珠洞眺遠亭上，宜南向、東向眺望。南望，永定河一綫縹緲如帶似紗。由它千萬年泛濫衝刷形成的西山洪積扇，至今在其兩岸仍可見大片荒沙、纍纍土崗。

山下不遠是八寶山、老山、田村山、石景山，兩千年前的漢墓早已少爲人知，山腳下元代翠微公主的陵墓湮沒無尋，明代貴戚葬地已被清朝王

公墳塋逐漸取代。

東南望，遼金殘毀的城垣猶在，元大都址上的明清北京城紫氣東來。遼、宋於會城門北、紫竹院一帶進行了高粱河會戰，遼軍鐵騎的馳援，使宋軍大崩潰。金兵攻陷遼幽州城，在其上建中都城。元人將金中都付之一炬後，東移城廓建大都城。歷史變遷，王朝更迭，都邑興廢，引發了納蘭性德的無限感慨。

漁父

收卻綸竿落照紅，秋風寧爲翦芙蓉。人淡淡，水濛濛，吹入蘆花短笛中。

詞解 這首詞寫的是漁人晚歸圖：漁人在夕陽落照，晚霞紅遍之時，收起釣竿歸棹。蓮花在秋風陣陣吹拂下整齊地搖曳。淡淡的人影，濛濛的流水，從蘆花蕩中傳來的短笛之聲，一切都那麼恬淡從容。

書香傳家系列叢書簡介

經

《詩經》

「關關雎鳩，在河之洲，窈窕淑女，君子好逑」描繪了人世間最真摯的愛情；「碩鼠碩鼠，無食我黍」表達了對不勞而獲的剝削者最深刻的厭惡；「知我者謂我心憂，不知我者謂我何求」抒發了對國家興亡最深切的憂慮。這些我們耳熟能詳的詩句，都出自《詩經》。《詩經》位居儒家「五經」之列，其文學價值是無需多言的。作爲中國史上第一部詩歌總集，它的內容極爲宏大豐富，刻畫了淳樸的風俗，讚揚了英勇的戰士，歌頌了神聖的祖先，記述了真實的歷史。這裏有懇切的批評，又有委婉的諷喻；有樸實的話語，又有華美的辭章；有直率的表達，又有微妙的思緒。孔子說：「不學《詩》，無以言」，這些璀璨的詩句依然是中國人今天抒發情感時無法超越的形式，它們朗朗上口、雋永豐沛。在幾千年後的今天，讓我們依舊能與華夏先民呼吸相聞，感受一種跨越千年的浪漫。「腹有《詩》《書》氣自華」，衹有讀了《詩經》，才知道什麼是文明而化。

《周易》

《周易》可以說是中國古老經典中的經典，它的作者據說是周文王姬昌，其在伏羲八卦基礎上推演而成，後來又經過孔子的修訂，直到現在，已有三千多年的歷史。很多人都認爲《周易》是一部用來占卜算命的書，這確實僅是它的功能之一，在生產力落後的前科學時代，它相當於一個簡單的搜索引擎，凡有疑難之事，都可以通過《周易》的指引，找到解決的辦法。但是，到了科學昌明的今天，《周易》的義理依然不朽，衹是其占卜算命功能已經大大地被弱化。它真正吸引人們的是它對歷史、民俗、文學、哲學、政治、中醫藥學等各個領域的兼容與覆蓋，可以說，《周易》通過陰陽、性象的變化來闡述生命的學問、宇宙的真理、智慧的源泉、社會的規律，用卦爻符號和爻辭，構成了一個神秘的文化殿堂，描述了中華古人對於宇宙奧秘和生命密碼的獨特認識，這也是我們今天讀《周易》的意義所在，它能夠讓我們透過紛繁複雜的表面，直接看透背後的本質。

《論語》

假設孔子讓班長子路建立一個班級群，把曾子、顏淵、子夏、子貢等人都拉進去，大家不但可以在群裏直接討論問題，還可以在彼此的朋友圈互相評論。於是有人選取了聽課中最有用、有趣、有意義的內容，整理成一本書，就叫《論語》。孔子感嘆「沒人瞭解我」，卻告訴學生「別怕沒人瞭解你，只怕自己沒本事」。他的一生是充滿失意和詩意的，他的思想主張不被當世爲政者所接受，但他「一以貫之」「不怨天，不尤人」「下學而上達」，以文化傳承爲使命，開私學之先河，創立了儒家學派。孔子自稱「述而不作」，只講課不創作，他編的六種教科書，主要材料也來自古代文獻，被稱爲「六經」。所以，記錄孔子言行的《論語》，反倒保存了原汁原味的孔子學說。《論語》中的孔子，不衹是莊嚴的至聖先師，更是一個有喜怒哀樂情感的教書先生。他會誇勤奮、聰明的學生，會罵懶惰、頑固的弟子，高興了會唱歌，傷心了會哭泣。閱讀《論語》，可以從中獲得思想的啟迪、人格的提升、情感的激勵，以及文學的享受，它是每一位中國人的必讀之書。

《孟子》

說起儒家思想，必定繞不開「孔孟之道」。這裏的「孟」，就是被尊爲「亞聖」的孟子。與一般「溫良恭儉讓」的儒生形象不同，孟子留給人們的印象更多是剛毅、自信和執著，這些特質在他和弟子所著的《孟子》中都得到了展現。《孟子》在南宋後被作爲「四書」之一。讀起來很好玩，因爲里面大部分都是小故事、小對話，而書中孟子的形象也非常鮮明、立體，就像是生活在我們身邊的一位倔強、驕傲而善辯的小老頭。很多時候，他會玩兒一些「套路」，讓談話對象掉入自己事先挖好的「坑」裏，最後逼得對方衹能「顧左右而言他」，他還會通過裝病來表達自己的不滿，就像個跟人賭氣的孩子一樣。當然，我們讀《孟子》的意義絕對不止於此，它之所以過了兩千多年仍被奉爲經典，是因爲孟子對「修身、齊家、治國、平天下」進行了透徹的闡述，讓我們在讀過之後能夠擁有強大的內心，能夠有所爲有所不爲，能夠有所捨有所得，這不僅對每個人的生活和工作有著重要的指導意義，對於我們弘揚優秀傳統文化、實現國家的文化自信也大有裨益。

《山海經》

有一種草可以治療抑鬱，有一種魚喫了就不再畏懼打雷，有一種樹見到就不會迷路，有一種獸甚至可以喫掉龍，它們都是什麼呢？這是一部記載了「五方之山」「八方之海」「珍寶奇物」的古代實用地理書。該書刻畫了「鯀禹治水」「女媧造人」「夸父逐日」的神話故事，也有對於顓頊和黃帝的很多記述，被稱爲「古之語怪之祖」。在魯迅筆下，這是阿長心心念念送他的禮物，其中包含上古時期的地理、歷史、神話、天文、動物、植物、醫學、宗教以及人類學、民族學、海洋學和科技史等知識。在紀曉嵐編纂的《四庫全書總目提要》中，它是地理書的首要，還被稱之爲最古的小說。它甚至是一些誌怪和盜墓小說中怪事、怪物的總來源、總發端，「紅毛犼」「錦鱗蚺」甚至「痋術」等，已經是年輕人熟悉的神獸。這就是《山海經》，一部誕生於遠古時期、極富想象力的驚世駭俗之作。它的奇詭玄妙，使今天的年輕人腦洞大開，啟發人們體悟天、地、人、神、獸、怪的無窮奧秘。讀《山海經》，去探尋遠古時期影響思

想觀念的洪荒之力，去求索華夏五千年文明的初心與神秘。

《史記精華》

《留侯世家》記載，破落貴族張良偶遇圯橋老人，得到《太公兵法》，學成後輔佐劉邦，「爲王者師」。他與衆將談論《太公兵法》，沒人聽得懂；劉邦聽了，卻能善用其策。張良說：「大概沛公是上天授命之人啊！」《史記》既是史書，又是一部政論集。政論家寫文章大多引經據典，司馬遷著《史記》是用更完備的史料論證自己的觀點。所以說司馬遷的偉大，不祇是記載了黃帝至漢初的歷史，而是在於他「究天人之際，通古今之變，成一家之言」。這「一家之言」，說的就是他的人生觀、歷史觀、宇宙觀。他信命而不認命，自強不息，具有悲天憫人的情懷。所以他借「圯橋進履」的傳說，證明劉邦是真命天子，卻又敢於對劉邦等得天命者犯下的錯誤提出批評，對懷才不遇、蒙受冤屈的人則報以同情。《史記》全書一百三十篇，五十二萬餘字，《史記精華》從中擷萃名篇，既不辜負太史公的良苦用心，又能讓今人感受輕鬆愉悅的閱讀體驗，從歷史的興亡中體悟天道與人事，品味「無韻之離騷」。

《資治通鑑精華》

孟子說：「孔子成《春秋》而亂臣賊子懼。」《春秋》大義，被歷代史家奉爲法則。唐末五代，藩鎮割據，天下大亂，人心不安。在那個兵強馬壯者就能當皇帝的時代，誰會在乎倫理與秩序？整個社會都迷失了方向。北宋建立後，結束了國家分裂的局面，人心思定，所以史家想要借《春秋》大義重建社會價值體系。先有歐陽修的《新五代史》，後有司馬光的《資治通鑑》。一部《資治通鑑》，二百九十四卷，三百多萬字，以編年體的形式展現了戰國至五代時期一千三百餘年的歷史。若你無暇通讀全書，又想有所涉獵，卻無從下手，《資治通鑑精華》就是爲你指點迷津、得以一窺這部史學巨著之端倪的捷徑。因爲本書所選篇目緊扣原典的主旨，以治亂興衰爲借鑒，以大義名分爲原則，涵蓋了歷代的主要大事件。在這個日新月異、信息爆炸的變革時代，你有沒有迷失方向？不妨嘗試從歷史中探尋安身立命之道。閱讀本書，上可以參悟人生、明白得失，中可以洞悉人心、增長閱歷，下可以充實學識、增加談資。

子

《六韜·三略》

很多人一提起「兵法」，首先想到的往往是《孫子兵法》《三十六計》，卻不知道《六韜·三略》絲毫不遜於前兩者。嚴格說來，《六韜》《三略》是兩本書。《六韜》作者是被譽爲「兵家之祖」的呂尚，也就是大名鼎鼎的姜子牙。《三略》的作者則是「張良拾履」故事裏的那位神秘老人黃石公。自古以來，《六韜·三略》就被譽爲「兵家權謀之祖」，姜子牙靠它輔佐武王興周滅紂，張亮靠它幫助劉邦定咸陽、滅項羽，建立西漢王朝。有人說《六韜·三略》這樣的兵法只適合在古代使用，這是大錯特錯的。因爲即使到了今天，也仍然有很多企業管理者把《六韜·三略》奉爲經典，並將它用於商業競爭、企業管理。雖然這是一本兵書，但它卻可以讓人擁有細緻的邏輯思維能力，學會如何從全局進行運籌和謀劃，學會如何鑒別和使用人才。就算是普通人，也可以在讀通《六韜·三略》之後，在自己的生活和工作中找準方向，實現最大的價值。

《孫子兵法》

在中外歷史上，有多少戰績輝煌的名將，隨著時間的推移，全都逐漸被遺忘了，但被稱爲「東方兵學鼻祖」的孫子以及他的《孫子兵法》，不僅沒有被忘卻，反而越發引起了人們的重視和崇敬。

《孫子兵法》自誕生至今已有兩千多年，在古代，它被廣泛地應用於戰爭，包括戰略戰術的製定、情報的搜集、戰區的選擇、攻防的轉換、作戰時機的選擇等；到了以「和平」爲主旋律的今天，全世界範圍內，《孫子兵法》都產生了極爲重要和廣泛的影響力。除了繼續在軍事、政治、外交等方面發揮重要作用和影響之外，《孫子兵法》還廣泛用於經濟、教育、商業、體育等各個領域，哈佛大學商學院甚至要求學生記誦《孫子兵法》的某些章節，以備日後經商之用。對我們普通人而言，通過《孫子兵法》來瞭解孫子的軍事思想，然後將其靈活轉化、應用，也足以給我們的學習、工作、生活帶來巨大的幫助。

《道德經》

春秋末年，天下戰爭頻仍，周朝守藏室之史老子棄官歸隱，騎青牛來到函谷關。官令尹喜求其寫下五千言，隨後西行，不知所蹤。《道德經》含有深刻的東方哲學思想，至今仍是人們認知宇宙與人生的經典，也被稱爲「玄而又玄」的學問。老子並非首倡尋找萬物總規律的人，從伏羲氏就認爲宇宙的一切總有一個根源，他沒有辦法用文字來說明，所以一畫開天，叫做「象」。那麼，把握規律就稱爲「執象」。由於執象依然有迷茫，於是才有老子破象而立道。但是，「道」究竟是什麼？老子說：「道可道，非常道」。他認爲祇有「致虛極，守靜篤」，「清靜無爲」才能顛覆性地掌握變化中的規律。現在人類的物質文明已獲得了高度發展，但是人類並沒有獲得幸福感，人類執迷於「有」，一再忽視老子的提醒「有生於無」。《道德經》於今人依然是最爲實用的經典，它可以重新梳理外在所有因素的趨勢，可以重新建立整體行動的框架，可以從身體的修真來鏈接萬物，由此來突圍今天人類的多重困境。

《鬼谷子》

他隱於世外，卻操縱天下格局；他的弟子出將入相，左右著列國的存亡，推動著歷史的走向。這個人因此被尊為「謀聖」，他就是鬼谷子。鬼谷子其人，神秘莫測，關於他的身世，眾說紛紜。相傳他隱居在雲夢山鬼谷，所以自稱鬼谷先生。他門下弟子孫臏、龐涓，都是用兵打仗的能手；另外兩個弟子蘇秦、張儀，憑三寸之舌推行合縱連橫之術，收到的奇效抵得上千軍萬馬。這樣的奇人留下的一本奇書——《鬼谷子》。該書原文衹有五千多字，卻是縱橫家流傳至今為數不多的代表著作之一，論述縱橫捭闔的秘訣。比如其中「欲取先予」的處世哲學，擴散開來就包含了很多個維度：從戰場上臨強示弱、扮豬喫老虎，到營銷上滿減贈送的優惠項目，再到投資領域的賭徒心理，都跟這四個字分不開。如果衹是把《鬼谷子》當成運用謀略、揣摩人心的教科書，就低估了其價值。書中還包括軍事、政治方面的知識，甚至還有養生的學問。《鬼谷子》包羅萬象，是先秦諸子學中的一顆璀璨明星。

《莊子》

莊子貌似窮困潦倒，但是他卻因精神超拔而早已名聲在外。楚威王曾派人來聘請他做官，只見他正坐在河邊悠然垂釣。莊子卻指著水裏搖著尾巴游泳的烏龜，對使者說：「與其做一隻被宰殺後供奉起來的神龜，不如像它一樣自由自在。」莊子是戰國時期道家學派的代表人物，繼承了老子「無為」的哲學思想，並且在宇宙觀、社會德用和養生氣論上均有推進。他所認為的自由，是無所憑依的，是順其自然的。正如鯤鵬變化，扶搖直上九萬里，這才是逍遥的境界。莊子又借小蟲、小鳥之口嘲笑大鵬，反映了淺陋之人難以領悟大道的真諦。然而大鵬畢竟要禦風而行，相比之下，無所憑依的風才是絕對自由的象徵。在別人眼中，窮困潦倒是苦，莊子卻以不受名利的牽累為樂。如果我們在工作和生活中遇到了一時過不去的坎兒，不妨用《莊子》化解內心的睏頓與焦慮，用「忘我」乃至「無我」的大智慧，用遨游天際的視野，面對現實的世界。

《世說新語》

年輕人必定向往「惟大英雄能本色，是真名士自風流」的生活，所以他們不會錯過一本被魯迅先生稱爲「名士教科書」，被今人叫作「名人酷生活實錄」的精選集。這本書記載了東漢末年到魏晉期間一批名士的言行。何爲名士？泛指知名人士，特指恃才自傲、不拘小節的牛人。因爲學者們的集體喜愛，特向國家教育管理機構推薦該書，進入中小學生的必讀書目。它就是《世說新語》。

沉浸書中，我們將置身於一個比現在更重視「顏值」的時代，領略魏晉名士們如何「一生不羈放縱愛自由」；嵇康、阮籍、劉伶們敏捷的才思、優雅的舉止、曠達的胸懷，甚至種種狂放怪異的言行，無不彰顯著自然率真的性情，彰顯著處於青年時代的中華文明那昂揚湧動著的生命力。我們可以品味到它的語言之美、生活之美、哲思之美，更能夠從中找尋到自己內心未被喚醒的詩意與對現實的超越。

《千字文》

《千字文》是一篇奇文，其問世充滿了傳奇色彩。梁武帝喜歡王羲之的書法，就命人從王羲之的真跡中找出一千個不同的字來教子孫識字、練字，卻因雜亂難記，而沒有取得太好的效果。梁武帝就找來員外散騎侍郎周興嗣，讓他將這些字編成一篇通俗易懂的文章。周興嗣花了一整夜時間，編撰出一篇條理清晰、引經據典的韻文，不但文采超然，而且上至天文，下及地理，中曉人和，將各種知識熔爲一爐，實爲一部生動的小百科全書。周興嗣也因用腦過度，導致一夜之間鬚髮皆白。由於漢字簡化、異體字合併，所以現在《千字文》並不是一千個不同的漢字了。儘管如此，也無損其文采。作爲傳統啟蒙讀物，《千字文》的影響力延續至今。胡適從五歲開始念「天地玄黃，宇宙洪荒」，直到他當了十年教授，還在回味這兩句話，可見《千字文》義理之妙。我們可以從中感悟中國古老的宇宙觀，體會古人修身的規範和原則，讚歎燦爛的歷史文明，在恬淡的心境中安然自處。

《百家姓》

說起姓氏，人們熟悉的是成書於北宋初年的《百家姓》，它是我國流行時間最長、應用範圍最廣的蒙學教材之一，與《三字經》《千字文》併稱爲「三百千」。雖然《百家姓》的内容没有文理，但讀起來朗朗上口，易學易記，可以讓孩子認識漢字，也可以指導孩子們的日常生活，建立好的生活習慣。慎終追遠，姓氏可以讓孩子們瞭解祖先的血脈延續，積纍和傳承家族文化。從遺傳基因學上形成華夏民族的血脈相連與共同認知。光宗耀祖，詩書繼世，是中國農耕社會的優良傳統。姓氏文化在中國五千年多年的文明史中擔當重任，戰國時期的《世本》，較早地記載了從黄帝到春秋時期天子、諸侯、大夫的姓氏、世系、居邑，但是這本書到宋朝就失傳了。總之，要想瞭解中國源遠流長的姓氏文化，《百家姓》是一本必備的簡易入門書籍。「書香傳家」系列的《百家姓》，不但介紹了每個姓氏的由來，還列舉了各個姓氏的名人，兼具知識性與趣味性。

《容齋隨筆》

上過學的人都知道筆記的重要性，然而老師講的課是一樣的，學生的筆記卻各不相同。現在學霸的筆記備受推崇，因爲展現了他們卓越的學習方法和對知識的思考。古代文人記筆記的習慣由來已久，魏晋南北朝就有常璩的《華陽國志》、干寶的《搜神記》、劉義慶的《世説新語》等名作，這些筆記小説大多是見聞隨筆，或從書中摘錄片段的合集。唐宋以後，歷史掌故、辯證考據類的筆記多了起來。《容齋隨筆》爲南宋大才子洪邁（號容齋）耗時四十年整理而成，一共分爲五部分，有七十四卷，含一千二百多則，歷史掌故、典章制度、社會風俗、天文曆算、文學藝術，無不涵蓋，特别是歷史人物、歷史事件相關的内容，考證十分詳實，議論頗有見地，還糾正了不少經史中的錯誤，是宋人筆記中内容最豐富、學術價值最高的一部。《容齋隨筆》是一本國學百科全書，當成學霸的筆記來讀也未嘗不可，一方面可以增長見聞，一方面可以領悟讀書的方法，並以此爲博覽經史原典的敲門磚。據史料記載，偉人毛澤東生前非常喜愛閱讀此書，直至離世前仍由工作人員爲其閱讀該書部分内容。

《三字經》

在中國傳統的啟蒙書籍中，《三字經》必然是最經典的一部，幾乎人人都熟悉開頭那兩句——人之初，性本善。這三字一句的形式，很具備兒歌的特點，易於誦讀和記憶。《三字經》雖短卻精，且內容十分豐富，將歷史、天文、地理、道德等方面的知識和大量典故融彙串連在一起，堪稱是一部極簡版的中國文化「小百科全書」，因此有「熟讀《三字經》，可知千古事」的說法。《三字經》從誕生之日起就大受歡迎，廣爲流傳，與《百家姓》《千字文》併稱中國傳統蒙學三大讀物。讀《三字經》可以發現，書中不但歸納總結了許多古代的文化常識，還告訴人們應當勤學好問、尊師重道、謙恭禮讓等人生的道理，體現了積極向上的精神，雖已暢行千百年，卻歷久彌新，在當今時代仍然具備知識性和實用性的國學入門的作用，可以給人們以簡易的知識和正向的力量。

《傳習錄》

曾有人給出過這樣的評價，中華上下五千年，能「立德、立功、立言」三不朽的聖人，祇有兩個半：孔子、王陽明，曾國藩只算半個。孔子，至聖先師，無人不知；曾國藩，湘軍首領，中興名臣。而王陽明，最讓人熟悉的莫過於「知行合一」「心外無物」的「陽明心學」了。想要瞭解孔子，可以讀《論語》；想要瞭解曾國藩，可以讀《曾國藩家書》；想要瞭解王陽明，自然要讀《傳習錄》。《傳習錄》之名取自《論語》中曾子的話：「吾日三省吾身，爲人謀而不忠乎？與朋友交而不信乎？傳不習乎？」由此可見，想要讀懂《傳習錄》，需要具備一定的儒學經典的基礎。作爲儒家作品，《傳習錄》的核心自然也是明德至善，知行一體。而王陽明所提出的「知行合一」則是強調了要知善同時行動，即理論與實際的踐行。因此，讀《傳習錄》，能夠得到的最大收穫就是在日常的工作生活裏，摒棄外界的干擾，修養自己的良知，做到問心無愧，持之以恒。曾經做過三家世界五百強CEO的日本企業家稻盛和夫，就將陽明心學內化爲企業經營之道。

《了凡四訓》

命運是一個很神奇的東西。有的人認爲「命由天定」，但也有人堅信「我命由我不由天」。明朝學者袁了凡十七歲時因爲一位算命先生的話而深陷「宿命論」，直到三十七歲時在雲谷禪師的開導下醍醐灌頂、頓悟至理，確定了「命由我作，福自己求」的立命之道，此後數十年，袁了凡堅持行善、積極進取，最終「逆天改命」。「父母之愛子，則為之計深遠」的舐犢之情，晚年的袁了凡有感於自己一生的經歷，給兒子寫下了《了凡四訓》，全書通過立命之學、改過之法、積善之方、謙德之效四個部分，講述了如何依靠後天努力來「修福改命」。晚清名臣曾國藩對《了凡四訓》極為推崇，他讀過之後給自己改號為「滌生」，並說：「滌者，取滌其舊染之污也；生者，取明袁了凡之言，『從前種種，譬如昨日死；從後種種，譬如今日生也。』」讀《了凡四訓》，讓你領悟命運真相，明辨善惡標準，堪稱人生必讀的智慧之書。

《紅樓夢圖詠》

相信讀過《紅樓夢》的人，一定都會被書中那些性格鮮明、栩栩如生的人物所打動，甚至對他們傾注或愛或憎的情感，大有恨不相識的遺憾。或許你會想，這些人物應該是怎樣的形象，比如什麼是「似蹙非蹙罥煙眉」，怎樣算「似喜非喜含情目」，「唇不點而紅，眉不畫而翠」會是什麼樣的美。那麼，有沒有

人根據原著的描寫，捕捉人物的特點從而描繪出他們具體的形象呢？當然，為《紅樓夢》創作的繪畫作品其實有很多，其中的《紅樓夢圖詠》是紅樓繪畫史上水平較高、名氣也較大的一部。這是一部木版畫集，共繪製了通靈寶玉、絳珠仙草、警幻仙子、寶玉、黛玉、寶釵、元春、探春、湘雲、妙玉、王熙鳳等共約五十幅插圖，以高超的版畫技藝，展現出畫作者改琦作品的神韻，所繪形象傳神，線條流暢。如其中黛玉一幅，便以弱不禁風的身姿，刻畫出人物「閑靜時如姣花照水，行動處似弱柳扶風」的氣質。

《芥子園畫譜精品集》

顧愷之、吳道子、張擇端、唐伯虎、齊白石等畫壇巨匠，留下了大量傳世名作。他們無不技藝精湛，卻也都是從零基礎開始學習的。每個人的學習途徑或許不同，如果有一套人人都能看懂的簡明教程，國畫技藝就會更容易讓普通人掌握。比如齊白石大師，原本是雕花木匠，二十歲那年在顧主家無意間看到一本叫《芥子園畫譜》的書，覺得書中循序漸進的講解非常實用，讀過一遍就對繪畫有了一定的理解。所以，即使說白石老人的繪畫藝術之路最初起步

於此書，也並不爲過。此外，任伯年、黃賓虹、傅抱石等繪畫大家也曾用心研習此書。「芥子園」是清初名士李漁（號笠翁）在金陵的别墅，《芥子園畫譜》最初就是在李漁的主持下，由王概、王著、王臬三兄弟編繪而成的。本書具有完備的體例，對用筆、寫形、佈局等繪畫的基礎技法做了詳盡的講解和展示，解析了歷代名家的特點，匯集了前人的畫論精華，從問世至今，一直是學習國畫的必修教材。

《中國京劇經典臉譜》

「臉譜化」這個詞，現在一般用來批評藝術作品塑造人物簡單化和概念化。然而與此相反，這恰是「臉譜」這一藝術形式的優點，使其能夠貼合傳統戲曲的表現方式。臉譜，是中國戲曲中特有的化妝藝術，通過按照一定譜式勾畫出的圖案造型來突出角色的性格、身份、年齡、品質等特徵，已形成一些相對固定的代表性顏色，如紅色的代表忠勇、正直；黑色的代表勇猛、直爽；白色的代表奸詐、狠毒；藍色的代表剛強，驍勇；黃色的代表凶暴、沉著，這與歌曲《説唱臉譜》的詞很一致：「藍臉的竇爾敦盜御馬，紅臉的關公戰長沙，黃臉的典韋、白臉的曹操，黑臉的張飛叫喳喳。」因此，臉譜具有「辨忠奸、寓褒貶、别善惡」的功能。《中國京劇經典臉譜》一書收録的臉譜作品，是在漫長的歲月中逐漸演變、完善進而固定的藝術形象，每一幅都構圖精巧，色彩絢麗，筆法細膩，是不可多得的藝術珍品。

創作者孫世良先生是中國著名京劇劇作家、京劇臉譜藝術家翁偶虹先生的再傳弟子，北京市非物質文化遺産傳承人，就職於國家京劇院藝術中心，爲專業京劇臉譜畫家。

集

《楚辭》

《楚辭》的語言文字可以美到什麼程度？光是書中「茂行」「陸離」「微歌」「嘉月」這類典雅的人名，就足已令人驚艷了。《楚辭》的夢幻世界可以有多浪漫？有青衣白裳、箭指西北的東君，他是掌管太陽的神；還有與日月齊光的雲中君，他是飄渺的雲神。衆神都有人的情感，或泛舟江上，或歡聚宴飲，或幽怨哀傷。楚辭的産生，離不開楚國從「荊蠻」發展到「楚霸」的歷史條件，長江流域的巫覡文化，與中原地區的禮樂文化相交融，就有了生機勃勃的楚文化。《楚辭》是中國文學史上第一部浪漫主義的詩歌總集，獨創一體，別具一格。全書以屈原的辭賦爲主，其餘各篇承襲屈原作品的形式，運用楚地的文學樣式、方言聲韻，故名《楚辭》。梁啟超說：「吾以爲凡爲中國人者，須獲有欣賞《楚辭》之能力，乃爲不虛生此國。」《楚辭》展現了以屈原爲代表的愛國精神、豪邁氣魄和浪漫情懷，因此熟讀《楚辭》，能培養書生狹氣，能讓我們一生受益。

《唐詩三百首》

璀璨大唐三百年，最具代表性的事物是什麼？是天可汗唐太宗李世民？是中華文明的巔峰開元盛世？還是一代女皇武則天？都不是，最能代表璀璨大唐的事物就是唐詩。在唐詩中你能感受到大唐盛世兼容並包的絕代風華，那裏有王勃從容浩蕩的英氣，有李白綉口吐出的巍峨之氣，有李賀苦吟的不羈之氣。在唐詩中你能領略到大唐的厚重，大唐的筋骨，那裏有杜甫的低沉恢弘之氣，有樂天自在的千百鮮明之氣，有邊塞狂歌的狷狂凜冽之氣。聞一多先生認爲：「一般人愛說唐詩，我卻要講『詩唐』，『詩唐』者，詩的唐朝也，懂得了詩的唐朝，才能欣賞唐朝的詩。」在唐詩中感受大唐，以詩教來熏習和浸染，觸摸到文化的江山，讓胸懷變得更寬廣更博大。不讀唐詩，無法面對優秀的古人，不知道東方情感之由來，亦不能精準表達自己的情感。

《宋詞三百首》

形成於唐，盛極於宋，前與唐詩爭奇，後與元曲鬥艷，是宋代文學最有代表性的成就，這種文體就是「宋詞」。可以說，有一定文化基礎的中國人都知道宋詞，也都可以不經意間脫口而出一二佳篇名句。如充滿豪情時，可以說「想當年，金戈鐵馬，氣吞萬里如虎」；心懷憂愁時，可以說「這次第，怎一個愁字了得」；陷入相思時，可以說「酒入愁腸，化作相思淚」。似乎每一種情緒，在宋詞中都已經有了完美的表達。如何更好地領略宋詞的精彩？《全宋詞》中收錄了一千三百餘位詞人的作品近兩萬餘首。顯然，通讀這麼多的作品並不現實，那麼優秀的選本便會大受歡迎。《宋詞三百首》就是這樣的選本。三百首不多，可以很快通讀；三百首不少，可以兼收各個時期、各個派別的眾多名家名作。這本《宋詞三百首》，囊括宋詞精華，讀後可以感悟宋詞之美，並初步瞭解宋詞的概況；所選皆爲名篇，便於背誦，有助於古典文學修養的提高，使自己不論言談還是寫作都更有氣質。

《唐宋八大家集》

提起「唐宋八大家」，很多人會問：「爲什麼沒有李白、杜甫、白居易？爲什麼沒有柳永、陸游、辛棄疾？」因爲這八個人代表了唐宋時期散文的最高水準，而非詩詞。我們都知道，唐朝是詩歌的黃金年代，而沒有體裁和題材方面的創新，就不會湧現出那麼多不朽的傑作。白居易提出「文章合爲時而著，歌詩合爲事而作」的口號，倡導「新樂府運動」。與之相呼應的正是韓愈、柳宗元倡導的「古文運動」，他們同樣強調寫文章要言之有物。「言之有物」看似容易，我們上學時，語文老師講作文的時候就一再強調這一點，可是文筆不好就詞不達意，文筆太好又總是變著法地運用修辭、引用典故、堆砌辭藻，顧此失彼，文章難免會「金玉其外，敗絮其中」。「唐宋八大家」的文章，推崇先秦諸子和《史記》《漢書》，一掃六朝辭賦的艷俗與空洞，沖破四六駢偶的程式

和窠臼，文章形式雖然復古，但是內容推陳出新，很接地氣，是老百姓讀得懂的古文，完美展現了中華文化的「文質彬彬」。這八位文曲星就是：韓愈、柳宗元、歐陽修、王安石、蘇洵、蘇軾、蘇轍、曾鞏，他們都有驚天地、泣鬼神的千古文章傳世。

《小窗幽記》

互聯時代來臨，世人莫不在加快節奏追逐社會步伐，關於生活的本真、人生的目的，人們實在難以顧及。有一部書，用它雋永的文思，淡雅的文字，指引你爲人處世，開導你在平淡中領略人生，它就是《小窗幽記》。「花繁柳密處，撥得開，才是手段；風狂雨急時，立得定，方見腳根」這是勸誡成功者的良藥；「情最難久，故多情人必至寡情。性自有常，故任性人終不失性」這是冷靜處事的心思。「興來醉倒落花前，天地即爲衾枕；機息忘懷磐石上，古今盡屬蜉蝣」這是過來人燈火闌珊處的迴眸。明代陳繼儒以其豐富的經歷、遠博的思想、高峻的修養撰得《小窗幽記》這部奇書，將修身、立德、爲學、致仕、立業、治家、養生的全部智慧和原則融入此書，文字跳脫愜意，格調超拔，以

小喻大，充滿了諧趣與真知。面對人生，作者給出的答案還將久久的流傳下去，那就是「時光，濃淡相宜，人心，遠近相安。流年，長短皆逝。浮生，往來皆客。」

《納蘭詞》

他是文武俱佳的翩翩公子，他是康熙皇帝御下一等侍衛，他是才華橫溢的傷心詞人。他，就是「清詞三大家」之一的納蘭性德。納蘭文武兼修，十七歲入國子監，十八歲考中舉人，二十二歲康熙賜進士出身。深受康熙帝賞識，多隨駕出巡。三十一歲英年早逝。納蘭性德二十四歲時將詞作編選成集，名爲《側帽集》，又著《飲水詞》。後人將兩部詞集增遺補缺，共三百四十九首，合爲《納蘭詞》。「今古河山無定據。畫角聲中，牧馬頻來去」是對山河流逝的慨嘆；「山一程，水一程，身向榆關那畔行，夜深千帳燈」是長途行軍中軍士的苦悶；「被酒莫驚春睡重，賭書消得潑茶香，當時只道是尋常」是失去妻子的丈夫回憶與亡妻昔日美好的酸楚；「西風多少恨，吹不散眉彎」展現的是深情男子的無盡哀思。

儘管清詞成就比不上宋詞，但也在文學史上留下了自己獨特的印記。清詞代表《納蘭詞》，不僅在清代詞壇享有很高的聲譽，而且在中國文學史上也佔有光彩奪目的一席。翻開《納蘭詞》，走近這位傳奇男子的一生，去體味，去發現，清詞怎一個「真」字了得。

《曾國藩家書》

有學者說：「五百年來，能把學問在事業上表現出來的，衹有兩人：一爲明朝的王守仁，一則清朝的曾國藩。」曾國藩作爲集政治家、戰略家、理學家、文學家、書法家等於一身的晚清名臣，因官居高位而無暇著書立說。不過，他寫給家人的大量家書，就成爲瞭解曾國藩的第一手資料，同時也是瞭解清末社會狀況的寶貴史料。家書，即家人之間來往的書信。在古代，家書是離家在外的人與家中親人的主要聯係方式之一。家書可簡可繁，可以只表達思念及關切之情，也可以暢敘經歷及感觸，通常都很真實，沒有虛假客套。《曾國藩家書》中收錄了曾國藩寫給祖父、父母、叔父、兄弟、子女等不同人的書信，其政治理念、治軍思想、治學修身、治家教子、處世交友等也都在其中得到了充分的體現。這些內容使這部《曾國藩家書》除了具備史料價值，還是一部生活處世的實用寶典，對我們的日常生活也有可資借鑒的意義和價值。

《人間詞話》

「最是人間留不住，朱顏辭鏡花辭樹。」作爲民國時期最爲著名的國學大師之一，能夠寫出這樣優美的詞句，對王國維來說實在不算稀奇；相較於他的詞作，《人間詞話》才是真正讓他在廣大文藝青年心中「封神」的傑作。就算是沒有看過《人間詞話》的人，也能隨口說出「古今之成大事業、大學問者，必經過三種之境界」。作爲中國文藝理論里程碑式的作品，《人間詞話》首次將西方美學思想融入到中國古典詩詞的點評中，你能想象，這樣一本薄薄的小冊子竟然蘊含著康德、叔本華的整套美學體系？更爲重要的是，在這本書中，王國維融會貫通，提出並建立了獨特的文藝理論體系，並成功勾起了廣大文藝愛好者們對於古典詩詞的興趣，很多人就是從這本書開始，成爲文學家、學者和文藝批評家的。如果你也對古典文學特別是古典詩詞感興趣，那麼一定要讀一讀這本《人間詞話》。

圖書在版編目（CIP）數據

納蘭詞 /（清）納蘭性德著 ；崇賢書院釋譯. -- 北京 ：北京聯合出版公司，2015.8（2022.3加印）
（書香傳家 / 李克主編）
ISBN 978-7-5502-5744-3

Ⅰ. ①納… Ⅱ. ①納… ②崇… Ⅲ. ①詞（文學）-作品集-中國-清代②《納蘭詞》-注釋③《納蘭詞》-譯文 Ⅳ. ①I222.849

中國版本圖書館CIP數據核字(2015)第164698號

崇賢館微信

書名 納蘭詞
著作者 （清）納蘭性德 著 崇賢書院 釋譯
出品人 趙紅仕
責任編輯 李徵
出版發行 北京聯合出版公司
地址 北京市西城區德外大街83號樓9層
郵編：100088
策劃經銷 近道堂
印刷 吳橋金鼎古籍印刷廠
字數 一百四十五千字
開本 宣紙八開
印張 二十二點七五
版次 二〇一五年八月第一版
二〇二二年三月第四次印刷
標準書號 ISBN 978-7-5502-5744-3
定價 肆佰捌拾圓整（一函兩册）